Navegando 1B

Workbook

Teacher's Edition

Karin D. Fajardo

EMCParadigm Publishing
Saint Paul, Minnesota

Product Manager
James F. Funston

Associate Editor
Alejandro Vargas Bonilla

Editorial Consultant
David Thorstad

Layout and Design
Mori Studio Inc.

Cartoon Illustrator
Kristen M. Copham Kuelbs

The Internet is a fast-paced technology, and Web pages and Web addresses are constantly changing or disappearing. You may need to substitute different addresses from the ones given in the activities throughout this workbook.

ISBN 0-8219-2833-3

Published by EMC/Paradigm Publishing
875 Montreal Way
St. Paul, Minnesota 55102
800-328-1452
www.emcp.com
E-mail: educate@emcp.com

Printed in the United States of America
2 3 4 5 6 7 8 9 10 XXX 09 08 07 06 05 04

Nombre: ______________________________ Fecha: ____________

Capítulo 6

Lección A

1 Crucigrama

Complete the following crossword puzzle with items found in the kitchen and on the dinner table.

Horizontal

1. Pones la ___ antes de comer.
5. Necesitas un ___ para tomar jugo.
6. Los refrescos fríos están en el ____.
7. La ___ da luz artificial.
9. Necesitas una ___ para hacer arepas calientes.

Vertical

2. Necesitas una ___ para limpiarte la boca *(mouth)*.
3. Comes en el ___.
4. Enciendes las ___ para ver de noche.
8. Necesitas un ___ para comer pescado.

2 Un mensaje en el refrigerador

Sra. Delgado left her sons a message on the refrigerator door. Complete the note, using the appropriate verbs from the list below.

ayudar	cerrar	deben	empezar
encender	pensar	poner	viajar

Hijos:

Tengo que (1) **viajar** *mañana a Colombia.*

Deben (2) **ayudar** *a su padre a hacer las siguientes cosas:*

Para (3) **empezar**, *deben* (4) **poner** *la mesa. Después,* (5) **deben** *estudiar. Cuando es de noche, tienen que* (6) **cerrar** *las ventanas y* (7) **encender** *las luces. También deben* (8) **pensar** *en el perro y darle de comer.*

Los quiere,

Mamá

3 Venezuela

Write the following words related to Venezuela under the appropriate categories.

petróleo	Caracas	arepas	ropa vieja	perlas
Maracaibo	Mérida	cachapas	cacao	

Ciudades	Comida Típica	Exportaciones
Caracas	**arepas**	**petróleo**
Maracaibo	**ropa vieja**	**perlas**
Mérida	**cachapas**	**cacao**

4 *¿Deber* o *tener que?*

Complete the following sentences with the correct form of *deber* or *tener que,* whichever is more appropriate. **Possible answers:**

1. Ramón **tiene que** comprar más servilletas de papel.
2. Beatriz y yo **debemos** ayudar en la cocina.
3. Tú **debes** hacer la tarea de español.
4. Yo **tengo que** ir a Caracas el doce de marzo.
5. Uds. no **deben** ver mucha televisión.
6. Félix **tiene que** poner la mesa del comedor.
7. Nosotros no **tenemos que** lavar los platos hoy.
8. Los estudiantes **deben** ser más amables con el profesor.

Nombre: ______________________________ Fecha: ______________

5 *Pensar, pensar de y pensar en*

Choose from the different uses of *pensar* to complete each sentence.

MODELO ¿C tu familia?

A. piensas B. piensas de C. piensas en

1. ¿Qué __B__ mi nuevo amigo?
2. ¿Adónde __A__ ir de vacaciones?
3. ¿__A__ visitar a tus parientes en Colombia?
4. ¿__C__ tus abuelos?
5. ¿Qué __B__ la idea de ir al cine?
6. ¿Qué __A__ hacer el fin de semana?

6 ¿En qué piensas?

Complete the following conversation with the appropriate forms of the verb *pensar.*

CLAUDIA: Hola, Alonso. ¿En qué (1) piensas?

ALONSO: (2) Pienso en mi viaje a Venezuela.

CLAUDIA: ¡Qué divertido! Mis padres y yo también (3) pensamos ir a Venezuela.

ALONSO: ¿(4) Piensan Uds. ir a la playa?

CLAUDIA: ¡Claro! Nosotros (5) pensamos ir a Playa Colorada. ¿Y tú?

ALONSO: Yo (6) pienso ir a Isla Margarita.

CLAUDIA: ¿Cuándo (7) piensas ir?

ALONSO: (8) Pienso hacer el viaje la próxima semana.

CLAUDIA: ¿Qué (9) piensa el profesor de tu viaje?

ALONSO: Él (10) piensa que debo estudiar en la playa.

CLAUDIA: ¡Yo (11) pienso que es imposible!

Nombre: ______________________________ Fecha: ______________

7 ¿Qué hacen?

Complete the sentences with the correct forms of the verbs shown in parentheses.

1. Carmen, ¿**quieres** ir al concierto de piano con nosotros? (querer)
2. Ella lo **siente** mucho, pero tiene que estudiar. (sentir)
3. Nosotros **pensamos** comer hallacas en el restaurante venezolano. (pensar)
4. El restaurante **cierra** a las diez de la noche. (cerrar)
5. Todas las noches, Marcos y Ana **encienden** la televisión. (encender)
6. Yo **prefiero** leer un buen libro. (preferir)
7. Los chicos **quieren** ir al cine. (querer)
8. La película **empieza** a las ocho de la noche. (empezar)

8 ¿Qué hacen?

Combine words from each column to write six complete, logical sentences. Make sure you use the appropriate forms of the verbs.

mis amigos	cerrar	a estudiar a las siete
yo	empezar	no poder ir a tu fiesta
mi primo	encender	la puerta del refrigerador
tú	preferir	escuchar música
mi familia y yo	querer	mirar una película
los estudiantes	sentir	la radio del carro

1. **Answers will vary.**
2. ______________________________
3. ______________________________
4. ______________________________
5. ______________________________
6. ______________________________

Nombre: ______________________ Fecha: ______________

9 Categorías

Find and circle the word in each row that does not belong in the group.

MODELO pan	sopa	(tenedor)	mantequilla
1. cuchillo	(postre)	tenedor	cuchara
2. plato	vaso	taza	(pimienta)
3. sal	(cucharita)	pimienta	azúcar
4. sopa	agua	leche	(cubiertos)
5. (estufa)	mantel	servilleta	plato
6. arepa	sopa	pan	(taza)

10 Ocho diferencias

Look at the two illustrations carefully and find the differences. Write the eight objects that are missing from the second illustration in the spaces provided.

Ordering will vary:

1. **el mantel**
2. **la servilleta**
3. **el plato de sopa**
4. **la cuchara**
5. **el vaso**
6. **el aceite**
7. **la mantequilla**
8. **la sal**

11 Supermercado González

Read the following advertisement and answer the questions.

1. ¿Cuánto cuesta *(costs)* el pan?

   Cuesta 6,99.

2. Si tienes 14 pesos, ¿cuántos litros de aceite puedes comprar?

   Puedo comprar dos litros.

3. ¿Qué cuesta más: el pan o la sopa?

   El pan cuesta más.

4. ¿Qué cubierto necesitas para comer sopa?

   Necesito una cuchara.

5. ¿Qué comida puedes cocinar con aceite?

   Puedo cocinar (answers will vary).

12 Este...

Write sentences saying where the following things are from, using the correct forms of the demonstrative adjective *este*.

MODELO servilletas / Guatemala
Estas servilletas son de Guatemala.

1. mantel / España **Este mantel es de España.**
2. tazas / Colombia **Estas tazas son de Colombia.**
3. cubiertos / Perú **Estos cubiertos son de(l) Perú.**
4. estufa / México **Esta estufa es de México.**
5. plato / Venezuela **Este plato es de Venezuela.**
6. lámpara / Chile **Esta lámpara es de Chile.**

13 Pásame ese...

Use the illustrations and the correct forms of the demonstrative adjective *ese* to say what you want passed.

MODELO 

Pásame esa cuchara.

1. **Pásame ese vaso.**
2.  **Pásame esos cuchillos.**
3. **Pásame esas servilletas.**
4.  **Pásame esos tenedores.**
5. **Pásame esa taza.**
6.  **Pásame ese plato.**

Nombre: ______________________________ Fecha: ______________

14 Aquel...

Complete the following paragraph with the correct forms of the demonstrative adjective *aquel.*

(1) Aquellos chicos son mis primos. Ellos viven en (2) aquella casa amarilla. (3) Aquella señora es mi tía. Ella trabaja en (4) aquel restaurante de allá. Ella prepara las arepas. ¡(5) Aquellas arepas son riquísimas!

15 En un restaurante

Imagine you are at a restaurant with Ramiro, a friend who complains about everything. Complete the sentences with the appropriate forms of *este, ese* or *aquel,* based upon the point of view of Ramiro.

1. Esta sopa no está caliente.
2. Ese pan sí está caliente.
3. Estas servilletas son viejas.
4. Aquella mesa no tiene mantel.
5. Esos chicos comen mucho.
6. Me gustaría comer aquel postre.
7. Estos vasos están sucios.
8. Los vasos de esa mesa están limpios.

Nombre: ______________________ Fecha: ______________

16 Una cena especial

Imagine you are hosting a dinner at your house in honor of a friend's birthday. Complete the memos below, telling friends what to do in order to help. Think about chores that need to be done, foods that need to be bought and items needed to set the table.

Answers will vary.

memo

Mónica:

Debes ayudar a ______________________

También necesitas ______________________

memo

Roberto:

¿Por qué no vas a supermercado y compras ______________________

memo

Angélica:

¿Por qué no pones tú la mesa? Necesitas poner ______________________

Nombre: ______________________ Fecha: ______________

Lección B

1 Plano de casa

A. Look at the following floor plan and label each room *baño, cocina, comedor, cuarto, garaje, patio* and *sala.*

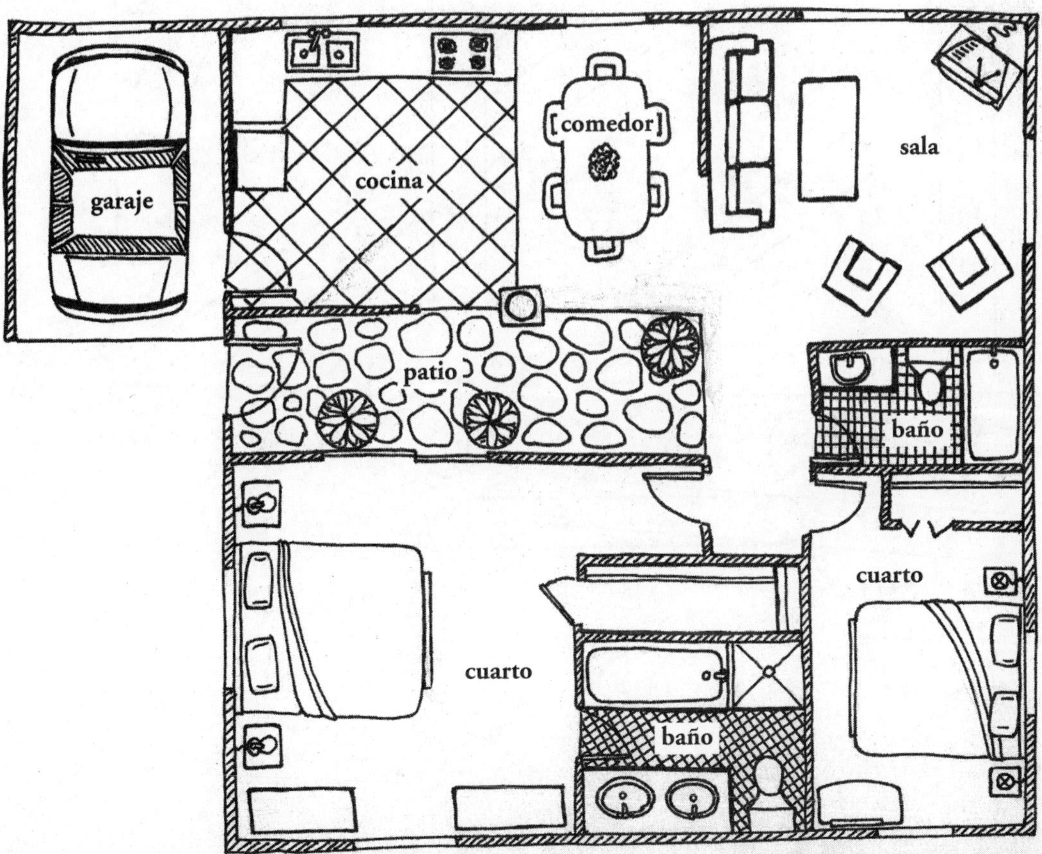

B. Read the following statements and decide whether they are *cierto* (true) or *falso* (false), based upon the floor plan above. Write **C** or **F** in the space provided.

C 1. La casa tiene dos baños.
F 2. Los cuartos están en el primer piso.
F 3. El garaje es muy grande.
F 4. La cocina está cerca del baño.
C 5. La sala está al lado del comedor.
F 6. La televisión está en el cuarto.
C 7. La casa no tiene escaleras.
C 8. Los cuartos están cerca del patio.

Nombre: ______________________________ Fecha: ____________________

2 Sopa de letras

In the word square below, find and circle eight words used to describe the different parts of a house. The words may read horizontally, vertically or diagonally.

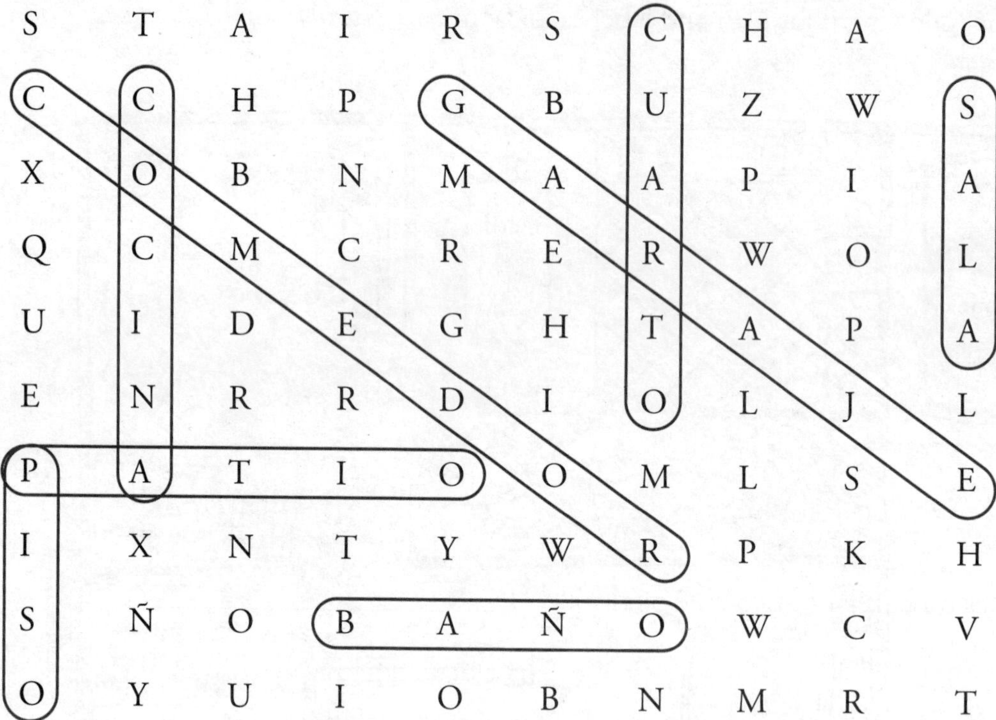

3 ¿Dónde está?

Say in what part of the house Ignacio is, based on his clues.

MODELO Pongo la mesa.
Está en el comedor. **Possible answers:**

1. Cierro la puerta del refrigerador.

   Está en la cocina.

2. Monto al carro.

   Está en el garaje.

3. Busco mis zapatos.

   Está en el cuarto.

4. Canto en la ducha *(shower)*.

   Está en el baño.

5. Veo muchas plantas.

   Está en el patio.

6. Hablo con los amigos de mis padres.

   Está en la sala.

Nombre: ______________________ Fecha: ______________

4 Colombia

Imagine you found the following Web page about Colombia with some words missing. Complete the paragraph with the words from the list.

Cartagena	cumbia	Oro	Sur
vallenatos	esmeraldas	Bogotá	muralla

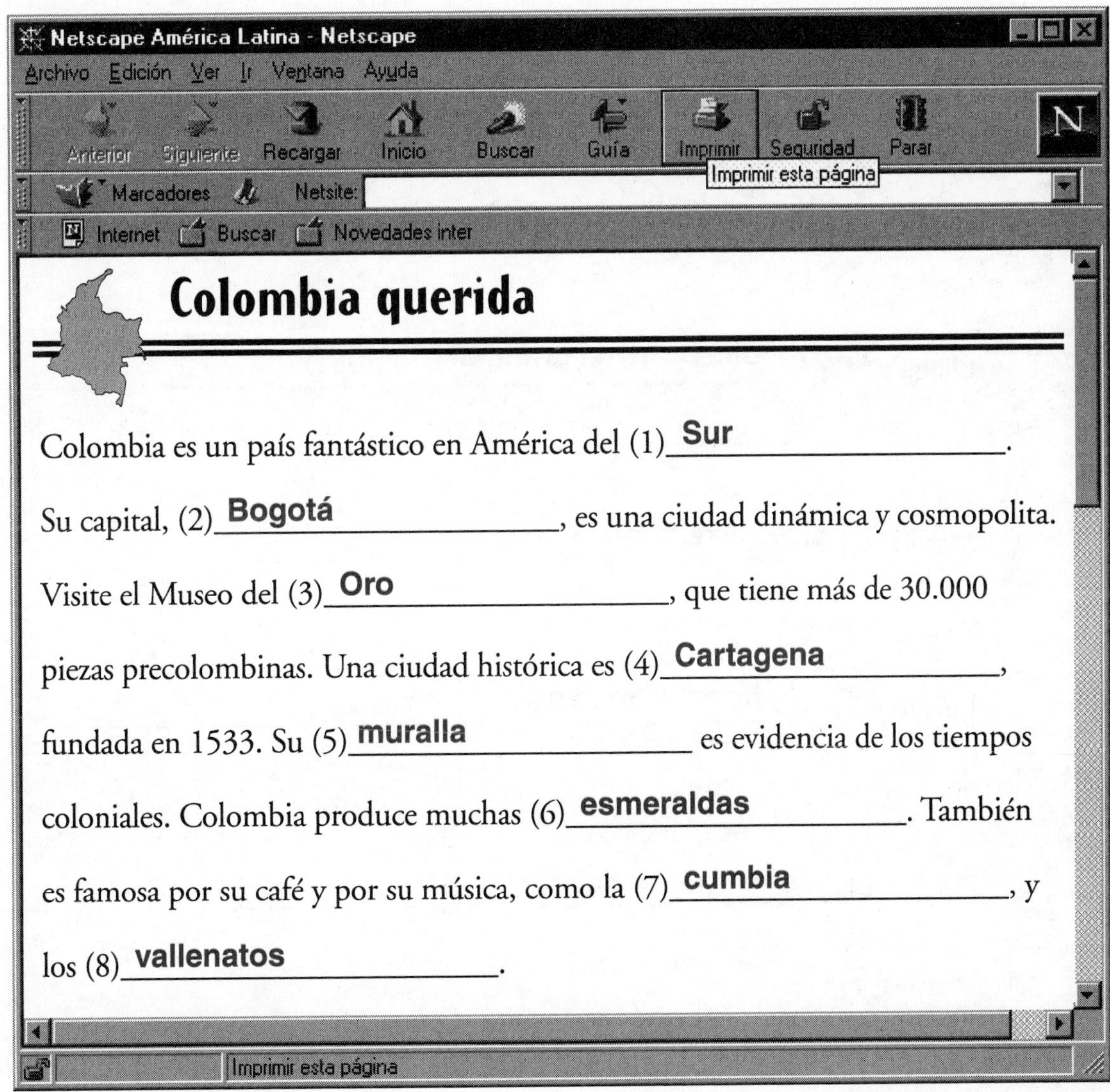

Nombre: ______________________________ Fecha: ______________

5 Dicen

What are the people in the illustration saying? Complete the sentences, using the appropriate form of the verb *decir.*

MODELO

Tomás dice: "¡Hola!".

1. 

Daniela dice: "Aló".

2. 

Yo digo: "Por favor".

3. 

Diana y Mario dicen: "¡Qué grande!".

4. 

Matilde dice: "Prefiero caminar".

5. 

Luisito y Sara dicen: "Gracias".

6. 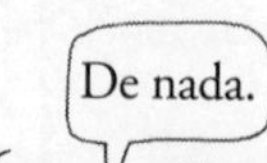

Doña Carla dice: "De nada".

7. 

Julio y yo decimos: "¡Vamos a Colombia!".

8. 

Ricardo dice: "Adiós".

Nombre: ________________ Fecha: ________________

6 ¿Qué dicen?

Complete the following sentences, using the appropriate forms of the verb *decir.*

1. Mi hermano **dice** que no le gusta escribir.
2. Mis primos **dicen** que ellos prefieren hablar por teléfono.
3. Carlota **dice** que la casa es muy pequeña.
4. Yo **digo** que la casa es cómoda.
5. Mi hermano y yo **decimos** que nos gustaría ir a Cali.
6. Tú siempre **dices** que te gustaría ir de compras.

7 ¿Qué dice el periódico?

Look at the following newspaper ad. Then answer the questions, telling what the ad says.

MODELO ¿Tienen las casas closets?
Sí, dice que tienen closets.

1. ¿Hay casas de dos plantas?
   Sí, dice que hay de dos plantas.
2. ¿Cuántos baños tienen las casas?
   Dice que tienen dos baños.
3. ¿Cuántos cuartos, o recámaras, tienen las casas?
   Dice que hay casas de dos o tres recámaras.
4. ¿Cuánto es la mensualidad *(montly payment)*?
   Dice que la mensualidad es $4,417.00 pesos.

Nombre: ______________________________ Fecha: ______________

8 ¿Qué tienen?

What are the following people saying, according to the illustrations? Fill in the speech bubbles with *Tengo* and the nouns *calor, frío, ganas de, hambre, miedo, prisa, sed* and *sueño.*

Nombre: ______________________ Fecha: ______________

9 Definiciones

Complete the definitions, using the words from the list.

hambre mentira perdón prestada repito sed

1. Si no digo la verdad, digo una **mentira**.
2. Si quiero comer, tengo **hambre**.
3. Si digo "Lo siento", pido **perdón**.
4. Si digo lo que tú dices, **repito** lo que dices.
5. Si tengo **sed**, tomo agua.
6. Si quiero la bicicleta de mi hermano, pido **prestada** su bicicleta.

10 No es verdad

Say that the following statements are not true by stating the opposite of the underlined words. Follow the model.

MODELO La abuela tiene mucho tiempo.
No es verdad. La abuela tiene prisa.

1. Jimena prefiere una casa pequeña.

   No es verdad. Jimena prefiere una casa grande.

2. Yolanda tiene mucha hambre.

   No es verdad. Yolanda tiene poca hambre.

3. Cartagena está cerca.

   No es verdad. Cartagena está lejos.

4. Pablo debe abrir las ventanas.

   No es verdad. Pablo debe cerrar las ventanas.

5. Gilberto tiene frío.

   No es verdad. Gilberto tiene calor.

11 Una carta de Medellín

Complete the following letter with the correct forms of the verbs in parentheses.

Querida Érica,

¿Cómo estás? Yo estoy bien. Ahora (1. vivir) vivo *con mis abuelos en Medellín, Colombia. Mis abuelos* (2. tener) tienen *una casa grande. Ellos* (3. pensar) piensan *comprar un apartamento pero yo* (4. preferir) prefiero *vivir en esta casa. Las ventanas no* (5. cerrar) cierran *bien y hay luces que no* (6. encender) encienden *pero tiene "carácter". Todas las noches, mis abuelos y yo* (7. comer) comemos *en el patio. Después,* (8. salir) salimos *a la plaza y allí* (9. hablar) hablamos *con los amigos.*

Érica, ¿por qué no (10. escribir) escribes *o* (11. llamar) llamas *por teléfono?*

Te quiero,

Armando

12 Repite mucho

Complete the following paragraph with the correct forms of the verb *repetir.*

Yo no (1) repito lo que mis amigos dicen porque no me gustan las personas que (2) repiten todo. Mi amigo, Víctor, (3) repite mucho. Si yo digo "Fantástico", él (4) repite "Fantástico". ¿Piensas que si mis amigos y yo (5) repetimos lo que Víctor dice, él no va a repetir más? ¿Y tú? ¿(6) Repites lo que tus amigos dicen o no?

Nombre: ______________________________ Fecha: ______________

13 ¿Qué piden?

Say what everyone orders at the restaurant, using the cues and the appropriate form of the verb *pedir.*

MODELO Leonor / agua mineral
Leonor pide agua mineral.

1. yo / sopa de pollo **Yo pido sopa de pollo.**
2. los chicos / postre **Los chicos piden postre.**
3. la Sra. Duarte / ensalada **La Sra. Duarte pide ensalada.**
4. tú / pan con mantequilla **Tú pides pan con mantequilla.**
5. nosotros / arepas **Nosotros pedimos arepas.**
6. Guillermo / jugo de naranja **Guillermo pide jugo de naranja.**
7. Carlos y Elena / pescado **Carlos y Elena piden pescado.**
8. Paco y yo / hallacas **Paco y yo pedimos hallacas.**

14 *Pedir* y *preguntar*

Complete the following sentences with the correct forms of *pedir* or *preguntar,* whichever is appropriate.

1. Verónica **pide** prestado un mantel porque no tiene uno.
2. La abuela **pregunta** por qué Verónica necesita un mantel.
3. Los amigos **preguntan** a qué hora es la fiesta.
4. Eduardo **pide** perdón porque no tiene ganas de salir.
5. Nosotros **preguntamos**: "¿Qué tienes?".
6. Verónica y Nuria **piden** ayuda en la cocina.
7. Yo **pido** un vaso de agua fría.
8. Tú **pides** permiso para ir al baño.
9. Hernán **pregunta** dónde está el baño.
10. Jaime dice una mentira y después **pide** perdón.

15 Una casa ideal

What does your ideal house look like? Make a sketch of the house or draw its floor plan in the space provided. Then, write a paragraph describing the rooms and their location.

Answers will vary.

Nombre: ______________________________ Fecha: ______________

Capítulo 7

1 Crucigrama

Complete the following crossword puzzle with words used for pastimes.

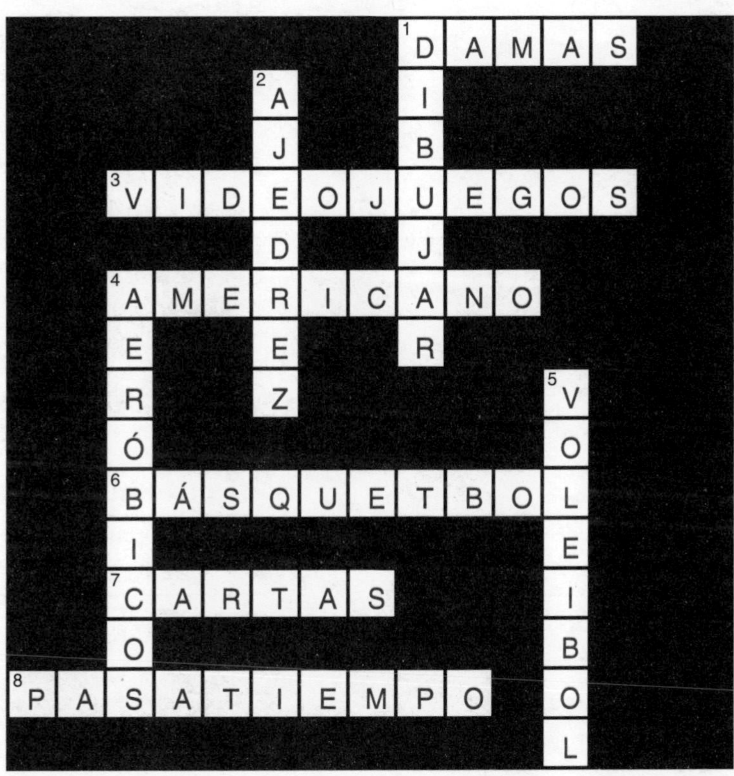

Horizontal

1. Para jugar a las ___, necesitas fichas *(counters)* rojas y negras.
3. Nintendo® hace muchos ___.
4. El fútbol ___ es diferente que el fútbol (*soccer*).
6. Necesitas una pelota *(ball)* y una canasta *(hoop)* para jugar al ___.
7. Si tienes un A♥ o un 5♦, juegas a las ___.
8. Un ___ es una actividad divertida.

Vertical

1. Necesitas papel y lápices de color para ___.
2. Si una pieza es un caballo, juegas al ___.
4. Los ___ son ejercicios que haces con música.
5. Para jugar al ___, le das a la pelota *(ball)* con las manos o los brazos.

Nombre: ______________________________ Fecha: ____________________

2 ¿Qué te gusta hacer?

Say if you like or you do not like to do the illustrated activities. Follow the model.

MODELO 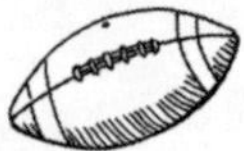

Me (No me) gusta jugar al fútbol americano.

1. 

Me (No me) gusta jugar a las damas.

2. 

Me (No me) gusta jugar al voleibol.

3. 

Me (No me) gusta hacer aeróbicos.

4. 

Me (No me) gusta jugar a las cartas.

5. 

Me (No me) gusta jugar al básquetbol.

6. 

Me (No me) gusta jugar al ajedrez.

7. 

Me (No me) gusta jugar a los videojuegos.

8. 

Me (No me) gusta dibujar.

Nombre: ______________________ Fecha: ____________

3 Argentina

Write each letter labeled on the map next to the corresponding description of the place.

MODELO B This is a tall mountain.

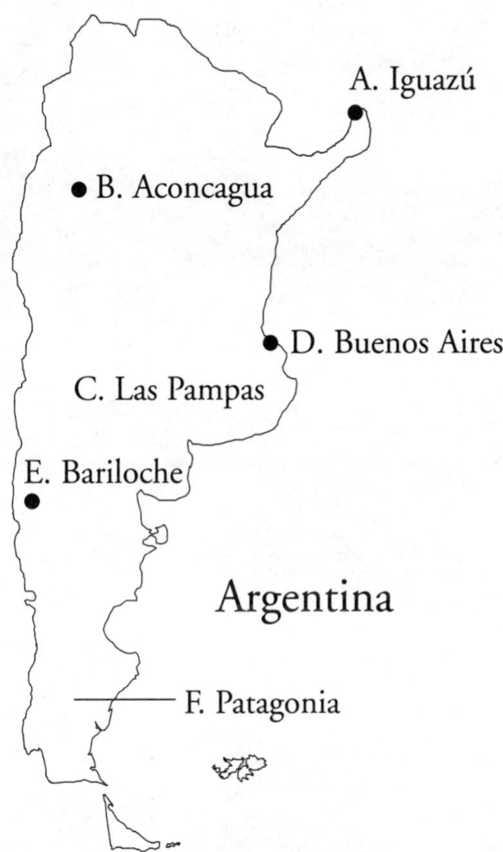

D A. It is the capital of Argentina.

C B. The *gauchos* tend herds of cattle on these plains.

E C. It is a world-class ski resort.

F D. On these plains, sheep are raised.

A E. These waterfalls are breathtaking.

4 Una familia atlética

Complete the following paragraph with the appropriate forms of the verb *jugar.*

A mi familia le gusta mucho jugar. Todos los sábados, mi hermana Raquel (1) juega al básquetbol. Mis padres (2) juegan a las cartas, yo (3) juego al ajedrez y mis primos (4) juegan al fútbol.

Por la noche, mis hermanos y yo (5) jugamos a los videojuegos. Y tú, ¿a qué (6) juegas los sábados?

5 ¡Vamos a Argentina!

Look at the following ad for trips around Argentina and answer the questions.

1. ¿Cuánto cuesta ir a Iguazú?

   Cuesta $422.

2. ¿Cuánto cuesta ir a Bariloche?

   Cuesta $432.

3. ¿Adónde puedes ir por $439?

   Puedo ir a Salta La Linda.

4. ¿Adónde puedes ir por $569?

   Puedo ir a Península Valdés.

6 ¿Quién puede ir?

Complete the sentences on the next page to say who can and cannot go on a trip to Bariloche.

Sí va a Bariloche	No va a Bariloche
yo	Roxana
Ana	Sr. Valdez
Teresa	Carlos
tú	Víctor
Samuel	Luis

Nombre: ______________________________ Fecha: ________________

MODELO Roxana no puede ir.

1. Carlos no puede ir.
2. Yo puedo ir.
3. Teresa puede ir.
4. Víctor y Luis no pueden ir.
5. Ana y yo podemos ir.
6. El Sr. Valdez no puede ir.
7. Tú puedes ir.
8. Samuel y yo podemos ir.

7 ¿Cuándo vuelven?

Use the cues and the appropriate form of the verb *volver* to write complete sentences, saying when everyone returns from the trip.

MODELO Ana / sábado
Ana vuelve el sábado.

1. yo / sábado Yo vuelvo el sábado.
2. tú / domingo Tú vuelves el domingo.
3. Teresa / jueves Teresa vuelve el jueves.
4. Ana y yo / sábado Ana y yo volvemos el sábado.
5. Samuel / martes Samuel vuelve el martes.
6. mis tíos / viernes Mis tíos vuelven el viernes.
7. Raúl y Laura / lunes Raúl y Laura vuelven el lunes.
8. Hugo / miércoles Hugo vuelve el miércoles.

Nombre: ______________________ Fecha: ______________

8 ¡Vamos!

Complete the following conversation with the words from the list.

alquilar	apagar	casi	control remoto	dormir
estupendo	mismo	segundo	siglos	

ERNESTO: Hola, Eugenia. ¿Qué hora es?

EUGENIA: Son las doce menos diez. Es (1) casi mediodía.

ERNESTO: ¿Dónde está Memo?

EUGENIA: Está en su cuarto. Quiere (2) dormir porque está muy cansado.

ERNESTO: ¿Quieres ir a (3) alquilar una película?

EUGENIA: Sí, (4) estupendo. Hace (5) siglos que no veo una película. ¿Cuándo quieres ir?

ERNESTO: Vamos ahora (6) mismo.

EUGENIA: Un (7) segundo. Primero debo (8) apagar la televisión. ¿Dónde está el (9) control remoto?

ERNESTO: Aquí está. ¡Vamos!

9 El tiempo

Rewrite the following periods of time in order, from shortest to longest.

minuto	siglo	mes	año
semana	día	hora	segundo

segundo → minuto → hora →

día → semana → mes →

año → siglo

Nombre: ______________________________ Fecha: ______________

10 ¿Cuánto tiempo?

Using the cues, write questions asking how long has it been since these people did the following things. Follow the model.

MODELO Vicente / jugar a las damas
¿Cuánto tiempo hace que Vicente no juega a las damas?

1. Silvia / alquilar una película
   ¿Cuánto tiempo hace que Silvia no alquila una película?
2. tú / jugar al voleibol
   ¿Cuánto tiempo hace que no juegas al voleibol?
3. Lola y Paco / correr
   ¿Cuánto tiempo hace que Lola y Paco no corren?
4. Juanita / hacer aeróbicos
   ¿Cuánto tiempo hace que Juanita no hace aeróbicos?
5. nosotros / viajar
   ¿Cuánto tiempo hace que nosotros no viajamos?

11 Hace mucho tiempo

Now answer the questions from Activity 10, using the following cues.

MODELO mucho tiempo
Hace mucho tiempo que Vicente no juega a las damas.

1. un mes
   Hace un mes que Silvia no alquila una película.
2. tres días
   Hace tres días que no juego al voleibol.
3. una semana
   Hace una semana que Lola y Paco no corren.
4. mucho tiempo
   Hace mucho tiempo que Juanita no hace aeróbicos.
5. un año
   Hace un año que (nosotros) no viajamos.

Nombre: ______________________ Fecha: ______________

12 Están haciendo muchas cosas

Say what the following people are doing right now, based upon the drawing. Write complete sentences, using the present progressive.

MODELO Rosario
Rosario está haciendo aeróbicos.

Possible answers:

1. el Sr. Torres **El Sr. Torres está cocinando.**
2. tú **Tú estás leyendo una revista.**
3. doña Petra **Doña Petra está durmiendo.**
4. Ricardo **Ricardo está haciendo las tareas.**
5. don Pablo **Don Pablo está viendo televisión.**
6. los chicos **Los chicos están jugando al ajedrez.**
7. nosotros **Nosotros estamos jugando al básquetbol.**

Nombre: ______________________ Fecha: ______________

13 ¿Estás haciéndolo?

Answer the following questions affirmatively, in two different ways: first, by placing the direct-object pronoun before the verb, and second, by attaching the direct-object pronoun to the verb form. Follow the model.

MODELO ¿Estás haciendo las tareas?
Sí, las estoy haciendo. / Sí, estoy haciéndolas.

1. ¿Estás poniendo la mesa?
   Sí, la estoy poniendo.
   Sí, estoy poniéndola.
2. ¿Estás alquilando las mismas películas?
   Sí, las estoy alquilando.
   Sí, estoy alquilándolas.
3. ¿Estás leyendo el periódico?
   Sí, lo estoy leyendo.
   Sí, estoy leyéndolo.
4. ¿Estás tomando el jugo de naranja?
   Sí, lo estoy tomando.
   Sí, estoy tomándolo.
5. ¿Estás viendo la telenovela?
   Sí, la estoy viendo.
   Sí, estoy viéndola.
6. ¿Estás celebrando tu cumpleaños?
   Sí, lo estoy celebrando.
   Sí, estoy celebrándolo.
7. ¿Estás llamando a tus amigos?
   Sí, los estoy llamando.
   Sí, estoy llamándolos.
8. ¿Estás comprendiendo el español?
   Sí, lo estoy comprendiendo.
   Sí, estoy comprendiéndolo.

Nombre: ______________________ Fecha: ______________

14 Mis pasatiempos

Imagine you are in a chat room, discussing pastimes. Answer the questions of the person on-line.

Answers will vary.

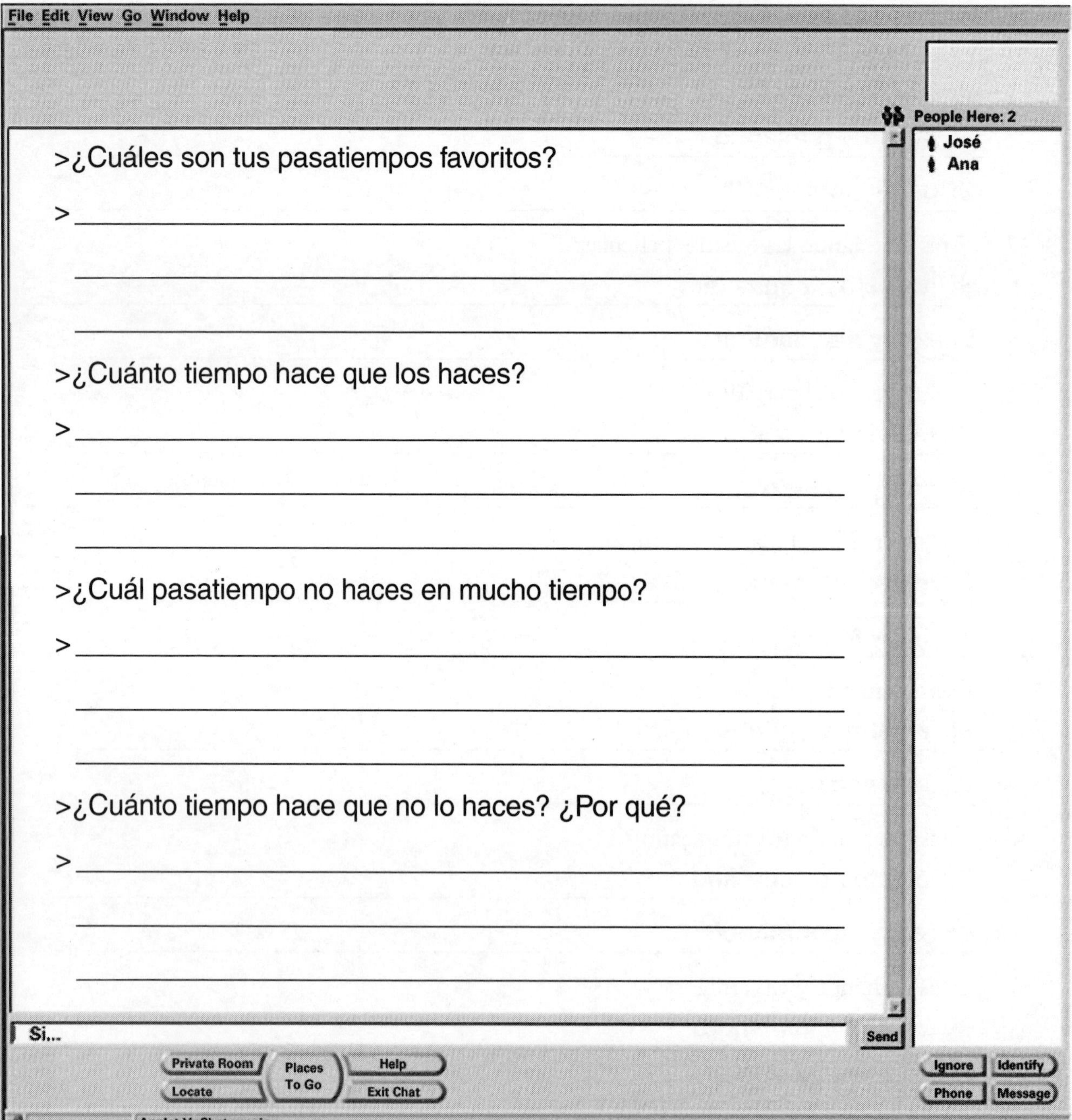

Nombre: ______________________ Fecha: ______________

Lección B

1 ¿Qué estación es?

Look at the following drawings and read the statements. Write the letter of the drawing that matches the statement in the space provided.

A.

B.

C.

D.

B 1. Es verano.

A 2. Llueve.

A 3. Hay muchas flores.

C 4. Está montando en patineta.

D 5. Está patinando sobre hielo.

D 6. Hace frío.

B 7. Está dando un paseo por la playa.

C 8. Es otoño.

A 9. Es primavera.

B 10. Hace mucho calor.

D 11. Es invierno.

B 12. Hace sol.

2 El tiempo y tú

Complete the following statements. **Answers will vary.**

1. Cuando hace sol, me gusta ______________________.
2. Cuando hace frío, mis amigos prefieren ______________________.
3. En julio no podemos esquiar en Colorado pero en cambio podemos esquiar en ______________________.
4. Cuando hace mucho calor, yo ______________________.
5. Donde vivo, el mes de ______________________ llueve más.

Nombre: ______________________________ Fecha: ________________

3 Las estaciones en Chile

Find and circle the four seasons of the year and three activities you can do during these seasons in the word square below. The words may read vertically, horizontally or diagonally.

J	S	N	V	E	R	A	N	O	S	I
A	E	N	O	M	S	R	E	A	E	N
O	T	O	Ñ	O	A	W	V	B	S	V
E	E	W	M	N	O	B	B	R	Q	I
A	Q	N	I	U	I	R	L	I	U	E
G	U	T	E	V	R	E	A	L	I	R
O	A	S	E	R	G	R	M	B	A	N
P	R	I	M	A	V	E	R	A	R	O
T	T	A	L	O	B	T	U	X	R	E
D	A	R	U	N	P	A	S	E	O	E

4 Chile

Read each statement about Chile. If it is true *(cierto)*, write **C** in the space provided. If it is false *(falso)*, write **F**.

F 1. Chile está sobre el océano Atlántico.

C 2. La capital de Chile es Santiago.

C 3. El libertador de Chile es Bernardo O'Higgins.

C 4. Pablo Neruda y Gabriela Mistral son dos poetas chilenos.

F 5. Puedes esquiar en Viña del Mar.

F 6. En Chile, en enero, febrero y marzo están en invierno.

C 7. En julio, puedes esquiar en Portillo.

Nombre: ______________________ Fecha: ______________

5 Contesta

Answer the following questions, using complete sentences.

1. ¿A qué hora sales de la casa por la mañana?
   Salgo de la casa a las...
2. ¿En qué cuarto de la casa haces las tareas de la escuela?
   Hago las tareas en...
3. ¿Cuánto tiempo hace que no pones la mesa en casa?
   No pongo la mesa en casa hace...
4. ¿Cuántas horas de televisión ves en una semana?
   Veo... horas de televisión en una semana.
5. ¿Por dónde das paseos con tus amigos/as?
   Paseo con mis amigos por...
6. ¿Sabes patinar sobre hielo?
   Sí (No, no) sé patinar sobre hielo.

6 ¿Qué haces?

Combine elements from each column to write six complete sentences with the pronoun *yo.*

MODELO Yo patino sobre hielo en invierno.

patinar	la maleta	en patineta
dar	sobre hielo	por la puerta
poner	montar	por la playa
hacer	de la casa	en el cine
saber	flores	por toda la casa
salir	un paseo	antes de viajar
ver	una película	en invierno

Possible answers:

1. **Yo doy un paseo por la playa.**
2. **Yo pongo flores por toda la casa.**
3. **Yo hago la maleta antes de viajar.**
4. **Yo sé montar en patineta.**
5. **Yo salgo de la casa por la puerta.**
6. **Yo veo una película en el cine.**

7 Mis amigos y yo

Complete each sentence with the appropriate form of the verb in parentheses.

1. Mis amigos y yo **esquiamos** en Farellones. (esquiar)
2. Beatriz **esquía** muy bien. (esquiar)
3. Tú **envías** flores a tu abuela, ¿verdad? (enviar)
4. Nosotros **continuamos** a estudiando español. (continuar)
5. Daniel **copia** la lista de palabras nuevas. (copiar)
6. ¿**Continúas** tú jugando a los videojuegos? (continuar)
7. Laura y Tobías te **envían** muchos saludos. (enviar)

8 Un e-mail

Complete the following e-mail with the appropriate forms of the verbs from the list.

copiar continuar enviar esquiar saber tener

Normal MIME QP Enviar

Para: Saúl
De: Mónica
Asunto: ¡Hola!
Cc:

Querido Saúl,

¿Cómo estás? ¿Todavía (1) **continúas** esquiando los fines de semana?

Yo ya no (2) **esquío** pero en cambio patino sobre hielo. Aquí te (3) **envío** una foto de mis amigos y yo patinando.

Oye, no (4) **tengo** la dirección electrónica de Arturo.

¿Por qué no la (5) **copias** y me la mandas? Gracias.

Yo (6) **sé** que estás ocupado.

Nombre: ______________________________________ **Fecha:** ____________________

9 El tiempo en Chile

What is the weather like in Chile? Look at the following newspaper clipping and answer the questions.

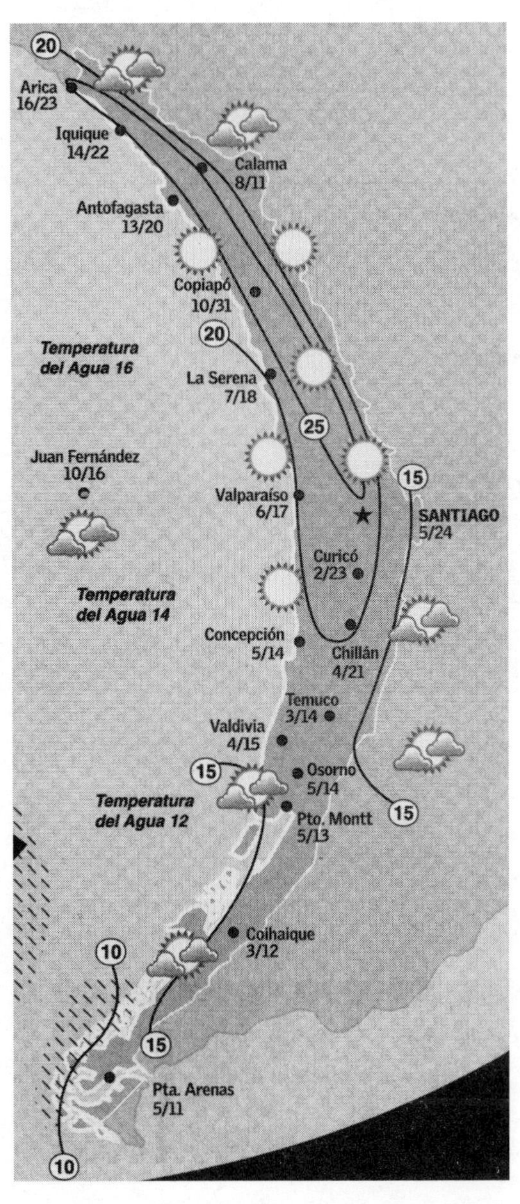

1. ¿Cuál es la temperatura máxima de Santiago?

   Es 24 grados.

2. ¿Cuál es la temperatura mínima de Juan Fernández?

   Es 10 grados.

3. ¿Está soleado en Arica?

   No, no está soleado. Está nublado.

4. ¿Qué tiempo hace en Punta Arenas?

   En Punta Arenas llueve.

5. ¿Qué tiempo hace en Valparaíso?

   En Valparaíso hace sol/está soleado.

Nombre: ______________________ Fecha: ______________

10 ¿Qué tiempo hace?

For each drawing, write one sentence describing the weather.

MODELO 

Hace sol.

Possible answers:

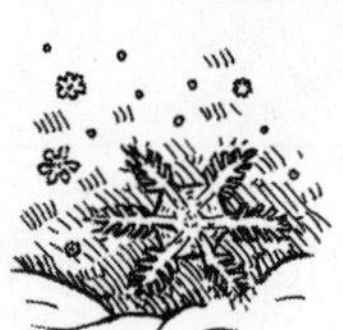

1. **Nieva.**

2. **Hay neblina.**

3. **Está nublado.**

4. **Llueve.**

5. **Hace viento.**

11 ¿Qué temperatura hace?

Look at the list of cities around the world and their high temperature in degrees centigrade. Decide whether it's hot, cold or mild. Write *Hace calor, Hace frío* or *Hace fresco* in the space provided.

1. Madrid 2°C **Hace frío.**
2. Panamá 33°C **Hace calor.**
3. Managua 31°C **Hace calor.**
4. La Paz 21°C **Hace fresco.**
5. Santiago 31°C **Hace calor.**
6. Nueva York 4°C **Hace frío.**
7. Bogotá 19°C **Hace fresco.**
8. Los Ángeles 17°C **Hace fresco.**

Nombre: ______________________________ Fecha: ______________

12 Deportistas

Look at each drawing and decide what kind of athlete each person is. Write a complete sentence, naming the person who participates in that sport. Follow the model.

Armando es patinador.

1. Pedro y Orlando

   Pedro y Orlando son tenistas.

2. Selena

   Selena es corredora.

3. las hermanas Franco

   Las hermanas Franco son patinadoras.

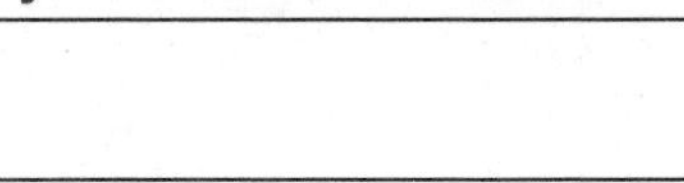

4. Miguel

   Miguel es futbolista/ jugador de fútbol.

5. Maira y Olga

   Maira y Olga son basquetbolistas.

6. Octavio

   Octavio es beisbolista.

7. Sarita

   Sarita es futbolista/ jugadora de fútbol.

8. mis primos

   Mis primos son corredores.

Nombre: ______________________________ Fecha: ________________

13 ¿En qué lugar?

The following newspaper clipping shows the results of a bicycle race in Buenos Aires, Argentina. Complete the sentences that follow with the appropriate ordinal numbers. Follow the model.

MODELO Eddy Cisneros llega en cuarto lugar.

La clasificación general

Pos.	Ciclista	Equipo	Tiempo
Categoría élite			(120 km)
1º	Pedro Prieto	Imperial Cord	2h49m
2º	Leandro Missineo	Tres de Febrero	m.t.
3º	Anibal Alborcen	Keops	m.t.
4º	Eddy Cisneros	Coach	m.t.
5º	Darío Piñeiro	Tres Arroyos	m.t.
6º	Franco Byllo	Bancalari	m.t.
7º	David Kenig	Tres de Febrero	m.t.
8º	Luis Lorenz	Tres de Febrero	m.t.
9º	Daniel Capella	Tres de Febrero	m.t.
10º	Gastón Corsaro	Tres Arroyos	m.t.

Promedio del ganardor: 42 km/ h.

1. Pedro Prieto llega en primer lugar.
2. Gastón Corsaro llega en décimo lugar.
3. Darío Piñeiro llega en quinto lugar.
4. Franco Byllo llega en sexto lugar.
5. Leandro Missineo llega en segundo lugar.
6. Daniel Capella llega en noveno lugar.
7. Anibal Alborcen llega en tercer lugar.
8. Luis Lorenz llega en octavo lugar.
9. David Kenig llega en séptimo lugar.

Nombre: ______________________ Fecha: ______________

14 Primeros en los Juegos Olímpicos

Spanish-speaking countries have always participated in the Olympic Games. Complete the following sentences with the appropriate form of *primer* to learn about their accomplishments.

1. Chile fue el único *(only)* país latinoamericano que participó en los primeros Juegos Olímpicos modernos en 1896.
2. El argentino Delfo Cabrera fue el corredor que llegó en primer lugar en el maratón en 1948.
3. En 1972, el cubano Alberto Juantorena fue el primer corredor en terminar los 400 metros y los 800 metros.
4. En 1996, la costarricense Claudia Poll fue la primera nadadora en terminar los 200 metros.
5. Jefferson Pérez fue el primer deportista de Ecuador en ganar *(win)* una medalla de oro en 1996.
6. Soraya Jiménez Mendivil ganó *(won)* una medalla de oro en el 2000, la primera mujer *(woman)* mexicana en hacerlo.

15 ¿Qué mes es?

Answer the following questions in complete sentences.

1. ¿Cuál es el primer mes del año?

   Enero es el primer mes del año.

2. ¿Cuál es el octavo mes del año?

   Agosto es el octavo mes del año.

3. ¿Cuál es el tercer mes del año?

   Marzo es el tercer mes del año.

4. ¿Cuál es el quinto mes del año?

   Mayo es el quinto mes del año.

Nombre: ______________________ Fecha: ______________

16 El pronóstico del tiempo

Write today's and tomorrow's weather forecast for your city and for Santiago, Chile. Draw an appropriate weather symbol in each box below. Then describe the weather in words and name some activities for which that weather is perfect.

EL PRONÓSTICO DEL TIEMPO

Aquí		**En Santiago de Chile**	
Hoy	Mañana	Hoy	Mañana

Answers will vary.

Nombre: ______________________________ Fecha: ______________

Lección A

1 ¿Qué están haciendo?

Look at the following drawing. Write what each family member is doing right now to help with the housework.

MODELO Andrés está limpiando el baño.

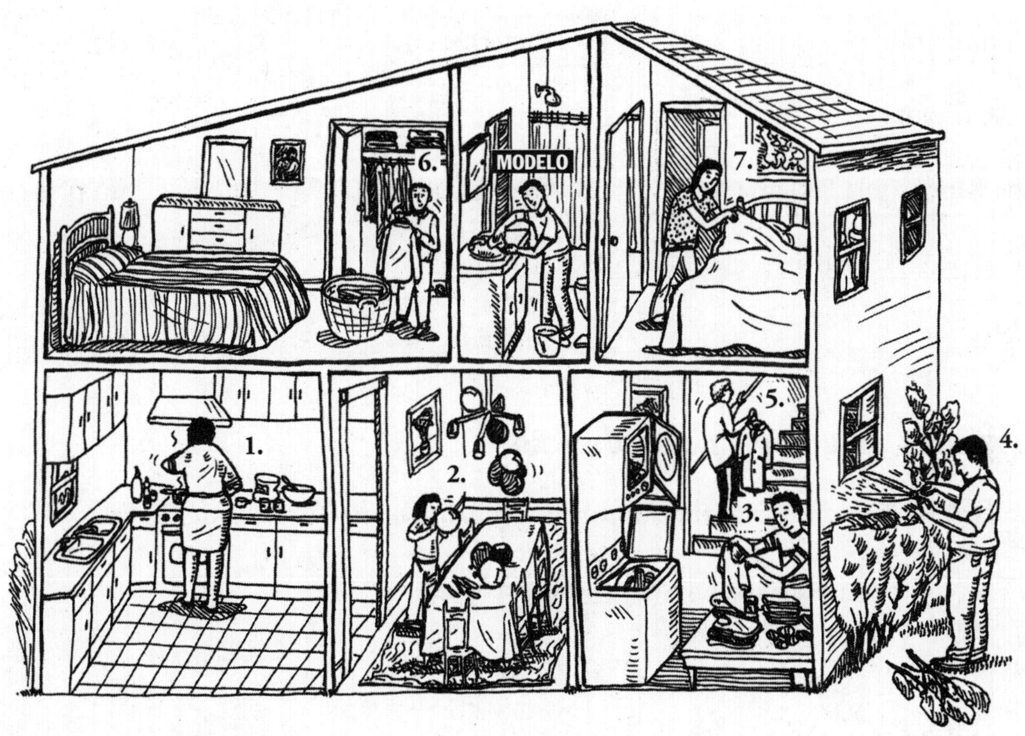

Possible answers:

1. La señora Rojas **está cocinado/preparando la comida**.
2. Mariana **está adornando el comedor**.
3. Gustavo **está doblando la ropa**.
4. El señor Rojas **está trabajando en el jardín**.
5. Doña Elmira **está subiendo un abrigo**.
6. Raúl **está colgando la ropa**.
7. Rosario **está haciendo la cama**.

Nombre: ______________________ Fecha: ______________

2 España

Circle the best completion for each statement about Spain.

1. Hay pinturas prehistóricas en las cuevas de…

   (A. Altamira.) B. Barcelona. C. Sevilla.

2. …financiaron el viaje de Cristóbal Colón.

   A. Los romanos (B. Los Reyes Católicos) C. Juan Carlos I

3. De 1936 a 1975, el gobierno *(government)* de España era una…

   A. monarquía. (B. dictadura.) C. tertulia.

4. Hoy, España es…

   (A. una Monarquía Parlamentaria.) B. una dictadura. C. un país comunista.

5. En España, se habla…, catalán, euskera y gallego.

   A. inglés B. francés (C. castellano)

3 Pronombres de complemento directo

Complete each sentence with the appropriate *pronombre de complemento directo.*

MODELO Voy a comprar una revista y la voy a leer.

1. Víctor ve el abrigo y lo compra.
2. Yo siempro lavo la ropa y la doblo.
3. Pintamos la pared y luego la adornamos.
4. Los estudiantes miran las palabras y las copian.
5. Vero va a alquilar tres películas y las va a ver esta noche.
6. ¿Por qué no compramos un nuevo disco compacto y lo escuchamos?
7. Héctor hace las maletas y Sonia las abre.

Nombre: ______________________ Fecha: ______________

4 Pronombres de complemento indirecto

Complete the sentences with the correct indirect-object pronouns.

MODELO ¿Les preparas la comida a tus hermanos?

1. Mañana, le voy a lavar el carro a papá.
2. Mario nos prepara a nosotros una comida especial.
3. Paloma le sube a la abuela el café.
4. Rodrigo te escribe una carta, pero tú no contestas.
5. Mamá les limpia el cuarto a los niños.
6. Yo le lavo la ropa a Joaquín y él me la dobla.

5 Otra vez

Rewrite the following sentences by moving the indirect-object pronoun to another position.

MODELO ¿Me puedes subir el abrigo? / ¿Puedes subirme el abrigo?

1. Le estoy leyendo el periódico al abuelo.
   Estoy leyéndole el periódico al abuelo.
2. Quiero enviarte un correo electrónico.
   Te quiero enviar un correo electrónico.
3. ¿Puedes alquilarme una película divertida?
   ¿Me puedes alquilar una película divertida?
4. Les debes ayudar a tus padres en casa.
   Debes ayudarles a tus padres en casa.
5. Te estamos limpiando el cuarto.
   Estamos limpiándote el cuarto.
6. Esta noche voy a adornarle la casa a Carlota.
   Esta noche le voy a adornar la casa a Carlota.
7. ¿Por qué no nos quieres cantar una canción?
   ¿Por qué no quieres cantarnos una canción?
8. Queremos celebrarle el cumpleaños a la profesora.
   Le queremos celebrar el cumpleaños a la profesora.
9. Les estoy dejando mi equipo de sonido.
   Estoy dejándoles mi equipo de sonido.

Nombre: ______________________ Fecha: ______________

6 ¿A quién le compras?

Imagine you have a gift certificate for the bookstore Universal. Look at some of the books on sale. Make a list of five books you will buy your family members and friends. Make sure to use the appropriate object pronoun and *a* followed by a noun to clarify to whom you are referring.

MODELO Le compro *Silabario Castellano* a mi hermanita.

Answers will vary.

1. ______________________
2. ______________________
3. ______________________
4. ______________________
5. ______________________

Nombre: ______________________ Fecha: ______________

7 ¿Qué acaban de hacer?

Combine elements from each column to write six complete sentences with the appropriate form of the verb *acabar de.*

MODELO Uds. acaban de adornar la sala.

Uds.		adornar	la cocina
yo		hacer	la cama
Lorenzo		preparar	en el jardín
los hermanos	acabar de	doblar	al primer piso
Mónica		limpiar	la comida
tú		trabajar	la ropa
Lola y yo		subir	la sala

Possible answers:

1. **Yo acabo de hacer la cama.**
2. **Lorenzo acaba de preparar la comida.**
3. **Los hermanos acaban de doblar la ropa.**
4. **Mónica acaba de limpiar la cocina.**
5. **Tú acabas de trabajar en el jardín.**
6. **Lola y yo acabamos de subir al primer piso.**

Nombre: ____ Fecha: __________________

8 Crucigrama

Complete the following crossword puzzle.

1 L	I	2 S	T	3 O				
		A		4 L	E	C	H	E
		C		L				
	5 P	A	S	A	6 R			
		R			E		7 L	
			8 D		C		U	
			A		O		G	
	9 A	R	R	E	G	L	A	R
					E		R	
10 B	A	R	R	E	R			

Horizontal

1. inteligente
4. Como cereal con ____.
5. Tengo que ____ la aspiradora por la sala.
9. Necesito ____ el cuarto porque está desordenado *(messy)*.
10. Para ____, necesitas una escoba *(broom)*.

Vertical

2. Necesito ____ la basura.
3. Cocinamos sopa en una ____.
6. Después de comer, vamos a ____ la mesa.
7. Debes poner las cosas en su ____.
8. Voy a ____ de comer al perro.

9 ¿Qué oyen?

Look at the schedule for Radio Premium. (Notice that the schedule uses the 24-hour clock.) Write complete sentences, using the correct form of the verb *oír* to indicate what program each person listens to at the given time.

MODELO Diego / 17:00
Diego oye La guitarra hoy.

Radio Premium
10.00: La cantata del domingo.
12.00: Festival Premium.
13.00: Radio Jazz (Carlos Allo).
14.00: Divertimento (Jorge Rocca).
15.00: Rarezas (Carlos Majlis).
17.00: La guitarra hoy (Marcelo Gallardo).
18.00: Música insólita (Ricardo Forno).
20.00: Colección Beethoven.
24:00: Suspendamos todo.
1:00: Trasnoche Premium.

Mhz	Mhz
FM Radio Nacional 96.7	FM 100 99.9
FM Cultura Musical 100.3	LS10 Del Plata 95.1
FM Radio Show 100.7	FM Hit 105.5
F.M Cultura 97.9	FM Premium 103.5
FM Tango 92.7	FM Mega 98.3

1. el abuelo / 13:00
   El abuelo oye Radio Jazz.
2. Eva y Diana / 12:00
   Eva y Diana oyen Festival Premium.
3. yo / 14:00
   Yo oigo Divertimiento.
4. mi hermana / 18:00
   Mi hermana oye Música insólita.
5. mis amigos y yo / 20:00
   Mis amigos y yo oímos Colección Beethoven.
6. tú / 10:00
   Tú oyes La cantata del domingo.
7. Ángel / 1:00
   Ángel oye Trasnoche Premium.

Nombre: ______________________________ Fecha: ______________

10 ¿Qué traen?

Write complete sentences with the correct form of the verb *traer* to say what the following people bring to the party.

MODELO

Uds. traen los refrescos.

1. yo

Yo traigo el pan.

2. Eduardo

Eduardo trae el equipo de sonido.

3. Anita y Carmen

Anita y Carmen traen las sillas.

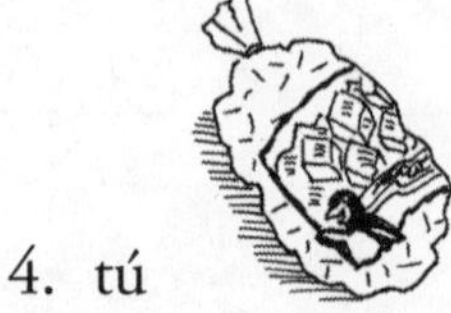

4. tú

Tú traes el hielo.

5. Rubén

Rubén trae el pollo.

6. Sergio

Sergio trae las cartas.

7. Pilar y yo

Pilar y yo traemos la mesa.

8. yo

Yo traigo la olla y los frijoles.

Nombre: ______________________ Fecha: ______________

11 La fiesta de Claudia

Complete the sentences with the preterite forms of the verbs in parentheses.

1. Claudia **empezó** a organizar su fiesta hace tres semanas. (empezar)
2. Ella **invitó** a veinte personas. (invitar)
3. Sus amigos le **ayudaron** mucho. (ayudar)
4. Conchita **dibujó** un mapa y lo **envió** con las invitaciones. (dibujar, enviar)
5. Yo **busqué** los ingredientes para la comida. (buscar)
6. Yo también **saqué** los platos y los cubiertos para poner la mesa. (sacar)
7. Marcos y Norma **prepararon** la cena. (preparar)
8. Alejandra **limpió** y **adornó** la sala. (limpiar, adornar)
9. Tú **pasaste** la aspiradora y **sacaste** la basura. (pasar, sacar)
10. Cuando las personas **llegaron**, yo **colgué** sus abrigos. (llegar, colgar)
11. Después de comer, Marcos **tocó** el piano. (tocar)
12. Yo **empecé** a cantar y bailar. (empezar)
13. Luego, todas las personas **cantaron** y **bailaron**. (cantar, bailar)
14. A la medianoche, nosotros **buscamos** juegos. (buscar)
15. Claudia y unos amigos **jugaron** a las cartas. (jugar)
16. Yo **jugué** a las damas con Marcos. (jugar)
17. Después, tú **alquilaste** unas películas. (alquilar)
18. Yo **apagué** las luces y **cerré** las ventanas. (apagar, cerrar)
19. Luego, nosotros **miramos** películas toda la noche. (mirar)

Nombre: ____________________ Fecha: ____________

12 Los quehaceres y yo

Look at the list of household chores. Write a paragraph telling if you do each chore sometimes, always or never *(a veces, siempre, nunca)*. End the paragraph by writing a conclusion as to how much you help around the house.

hacer la cama	poner la mesa	cocinar
arreglar el cuarto	recoger la mesa	doblar la ropa
pasar la aspiradora (o barrer)	lavar los platos	trabajar en el jardín

Answers will vary.

Nombre: ______________________________ Fecha: ______________

Lección B

1 Sopa de letras

Find and circle ten food items in the word square below. The words may read horizontally, vertically or diagonally.

A	S	P	P	E	C	H	U	G	A	Z
G	Y	I	E	Z	A	C	V	B	I	T
U	P	M	M	S	X	R	W	A	H	O
I	C	I	O	T	C	I	R	N	F	M
S	A	E	C	Y	H	A	P	O	E	A
A	Z	N	B	U	I	O	D	P	Z	T
N	J	T	A	O	Q	U	I	O	D	E
T	R	O	P	O	L	L	O	G	H	J
E	S	D	C	V	B	L	M	L	K	E
Z	E	A	G	U	A	C	A	T	E	P

2 Definiciones

Match each word with the corresponding definition. Write the letter of your choice in the space provided.

E 1. lata — A. Tienda grande con comida.

C 2. no maduro — B. Instrucciones para cocinar.

B 3. receta — C. Verde.

A 4. supermercado — D. Guisantes, pimientos, aguacates.

D 5. verduras — E. Envase *(Container)*.

3 Comparaciones

Write comparing sentences, using *más… que* or *menos… que* and the words given. Make any necessary changes.

MODELO fiestas / divertido / clases
Las fiestas son más divertidas que las clases.

1. sopa / caliente / ensalada **Possible answers:**
   La sopa es más caliente que la ensalada.
2. tomates rojos / maduro / tomates verdes
   Los tomates rojos son más maduros que los tomates verdes.
3. otoño / frío / invierno
   El otoño es menos frío que el invierno.
4. paella / dulce / postre
   La paella es menos dulce que el postre.
5. avión / rápido / tren
   El avión es más rápido que el tren.
6. levantarse el sábado / temprano / el lunes
   Me levanto el sábado menos temprano que el lunes.
7. ajo / grande / cebolla
   El ajo es menos grande que la cebolla.
8. perros / inteligente / gatos
   Los perros son más/menos inteligentes que los gatos.
9. ciencias / aburrido / matemáticas
   Las ciencias son más/menos aburridas que las matemáticas.
10. lechugas / fresco / guisantes en lata
    Las lechugas son más frescas que los guisantes en lata.

4 Tienen mucho en común

Read about Clara and Carlos, two twin siblings. Write complete sentences, using *tan/tanto... como* to summarize what they have in common.

MODELO Clara tiene un cuarto grande. Carlos tiene un cuarto grande también.
El cuarto de Clara es tan grande como el cuarto de Carlos.

1. Clara tiene muchos amigos. Carlos tiene muchos amigos también.

   Clara tiene tantos amigos como Carlos.

2. Clara es simpática. Carlos es simpático también.

   Clara es tan simpática como Carlos.

3. Clara tiene cien libros. Carlos tiene cien libros.

   Clara tiene tantos libros como Carlos.

4. Clara corre rápido. Carlos corre rápido también.

   Clara corre tan rápido como Carlos.

5. Clara juega al básquetbol todos los días. Carlos juega al básquetbol todos los días.

   Clara juega al básquetbol tanto como Carlos.

6. Clara es morena. Carlos es moreno.

   Clara es tan morena como Carlos.

7. Clara va a muchas fiestas. Carlos también va a muchas fiestas.

   Clara va a tantas fiestas como Carlos.

8. Clara ayuda con los quehaceres. Carlos ayuda con los quehaceres.

   Clara ayuda con los quehaceres tanto como Carlos.

9. Clara tiene cincuenta discos compactos. Carlos tiene cincuenta discos compactos.

   Clara tiene tantos discos compactos como Carlos.

Nombre: ______________________ Fecha: ______________

5 Más comparaciones

Complete each sentence by singling out what is talked about. Follow the model.

MODELO Este supermercado es grande pero aquel supermercado es el supermercado más grande de la ciudad.

1. El restaurante Orozco es bueno pero el restaurante Tamayo es **el mejor restaurante** de la ciudad.
2. Manolo corre rápido pero René corre **lo más rápido** posible.
3. Tú siempre lees bien pero hoy debes leer **lo mejor** posible.
4. El Hotel Reyes es un hotel malo pero el Hotel Pulgas es **el peor hotel** de la ciudad.
5. Teresa es una buena amiga pero Delia es **la mejor amiga** del mundo.
6. Estas verduras están frescas pero aquellas verduras son **las verduras más frescas** del mercado.
7. Julio dice que Madrid es una ciudad bonita pero Barcelona es **la ciudad más bonita** de España.
8. Yo me levanto a las seis pero mañana tengo que levantarme **lo más temprano** posible.
9. Esta película es bastante mala pero aquella película es **la peor película** que alquilamos.
10. Tu plato está sucio pero mi plato es **el plato más sucio** de la mesa.

Nombre: ______________________________ Fecha: ______________

6 Humberto y Rogelio

Complete each comparison with an appropriate expression from the list. Some expressions will be used more than once.

más de	más grande	más pequeña	más pequeño
mayor	menor	menos de	

Humberto tiene quince años. Rogelio tiene dieciséis años.

1. Humberto tiene **menos de** dieciséis años pero **más de** catorce años.
2. Humberto es **menor** que Rogelio.
3. Rogelio es **mayor** que Humberto.

Hay ocho personas en la familia de Humberto. Hay cinco personas en la familia de Rogelio.

4. La familia de Humberto es **más grande** que la familia de Rogelio.
5. La familia de Rogelio es **más pequeña** que la familia de Humberto.
6. Hay un **mayor** número de personas en la familia de Humberto.
7. Hay un **menor** número de personas en la familia de Rogelio.
8. En la familia de Humberto, hay **más de** de cinco personas.
9. En la familia de Rogelio, hay **menos de** de ocho personas.

Humberto compró cinco aguacates. Rogelio compró diez aguacates.

10. Humberto compró un **menor** número de aguacates que Rogelio.
11. Rogelio compró **más de** cinco aguacates.
12. Humberto compró un número **más pequeño** de aguacates.

Nombre: ______________________________ Fecha: ________________

7 En el supermercado

Imagine you work at a supermarket. Arrange the following foods by writing the name of each item in the appropriate space.

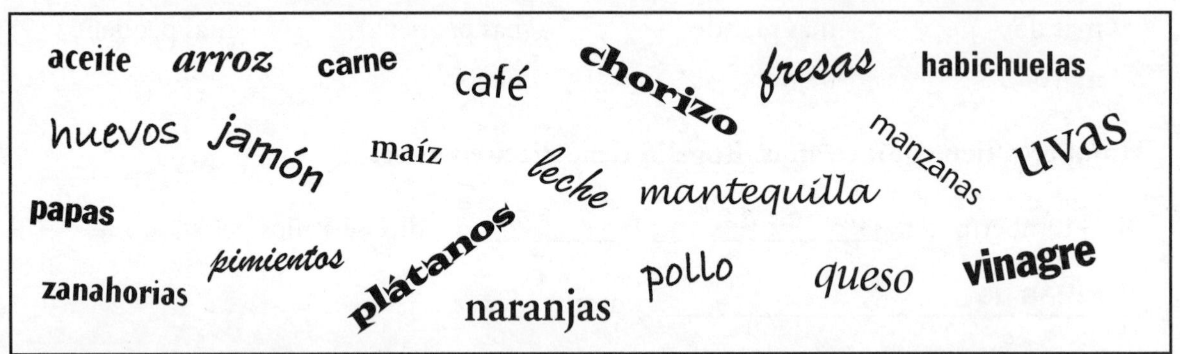

FRUTAS

uvas
naranjas
plátanos
fresas
manzanas

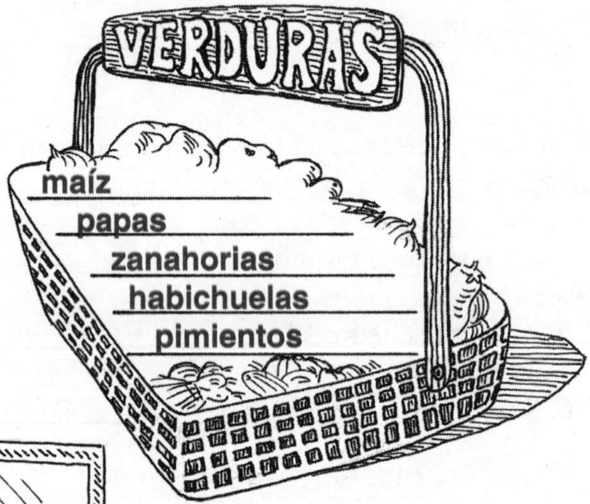

VERDURAS

maíz
papas
zanahorias
habichuelas
pimientos

leche
queso
mantequilla
huevos

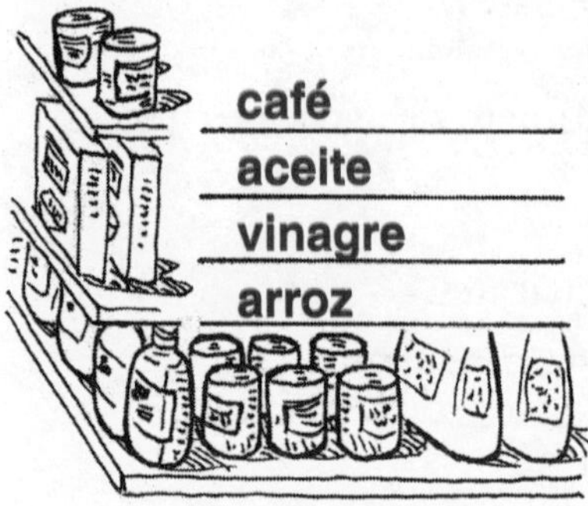

café
aceite
vinagre
arroz

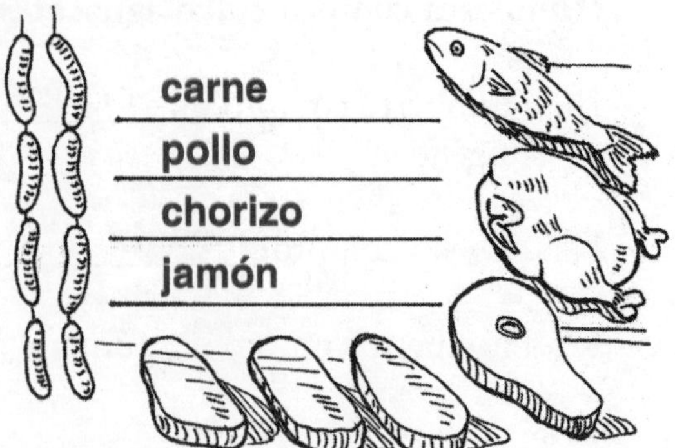

carne
pollo
chorizo
jamón

8 Categorías

Circle the word in each row that does not belong in the group.

1. jamón	carne	(arroz)	chorizo
2. fresa	naranja	plátano	(maíz)
3. agua	(queso)	jugo	leche
4. (huevos)	guisantes	habichuelas	pimientos
5. uvas	manzanas	fresas	(zanahorias)
6. queso	leche	(papa)	mantequilla

9 Actividad cultural

Write the name of each dish in the region of Spain where it originated.

paella gazpacho callos pulpo a la gallega bacalao al pilpil

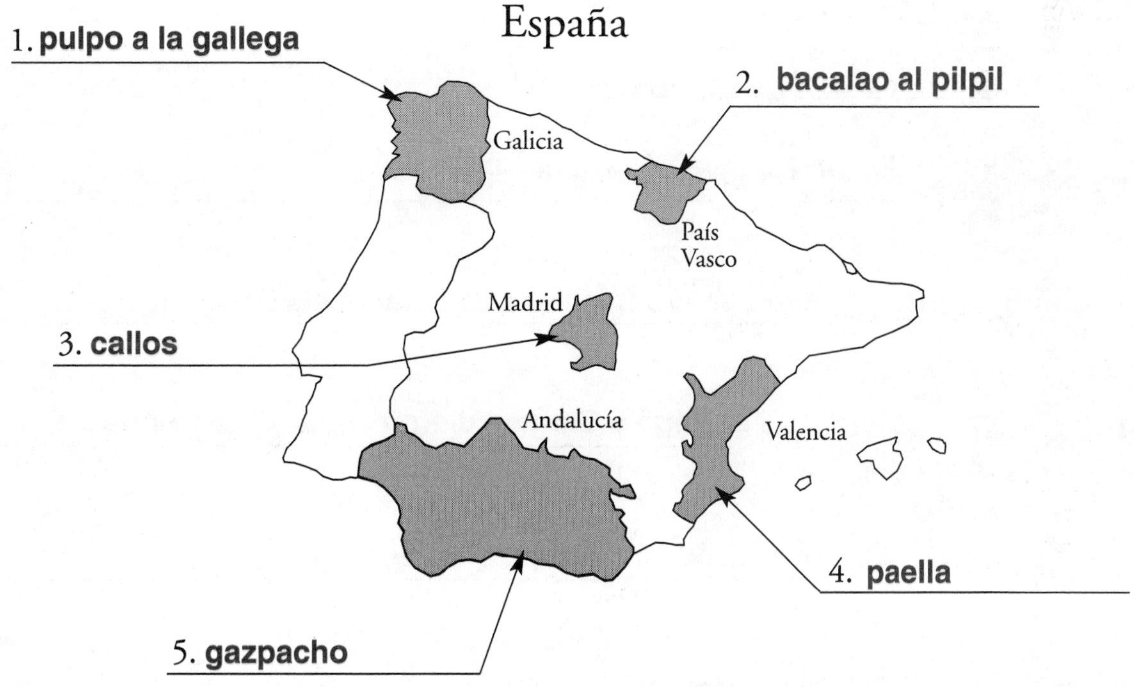

Nombre: ______________________________ Fecha: ________________

10 La paella de Julián

Complete the following sentences with the preterite forms of the verbs in parentheses.

1. Julián **preparó** paella valenciana. (preparar)
2. Nosotros lo **ayudamos**. (ayudar)
3. Yo **busqué** la receta en la internet. (buscar)
4. Hernán y Laura **compraron** los ingredientes en el mercado. (comprar)
5. Laura **cocinó** el pollo y el pescado en aceite y ajo. (cocinar)
6. Hernán **lavó** las verduras antes de añadirlas a la paella. (lavar)
7. Cuando la paella **terminó** de cocinar, yo **apagué** la estufa. (terminar, apagar)
8. ¿Por qué tú no **ayudaste**? (ayudar)

11 ¿Qué dieron?

Write complete sentences, saying what everyone gave to the food drive, based upon the drawing.

 Mariana

Mariana dio dos latas de guisantes.

1. yo **Yo di dos kilos de zanahorias.**

2.  Esteban **Esteban dio tres latas de habichuelas.**

3.  Jorge y Carmen **Jorge y Carmen dieron cinco kilos de arroz.**

4.  nosotros **Nosotros dimos tres litros de leche.**

5. 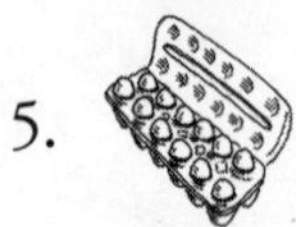 tú **Tú diste doce huevos.**

Nombre: ______________________ **Fecha:** ____________

12 ¿Ya estuvieron allí?

You need to find out if the following people have already been to the main attractions in Madrid, Spain. Write questions, using a name or pronoun from the list, the preterite form of the verb *estar* and a place marked in the map. Follow the model.

MODELO ¿Ya estuvo Pedro en la Plaza de Oriente?

Pedro	tú	Carlos	nosotros
Víctor y Nuria	Paloma	Uds.	Sofía

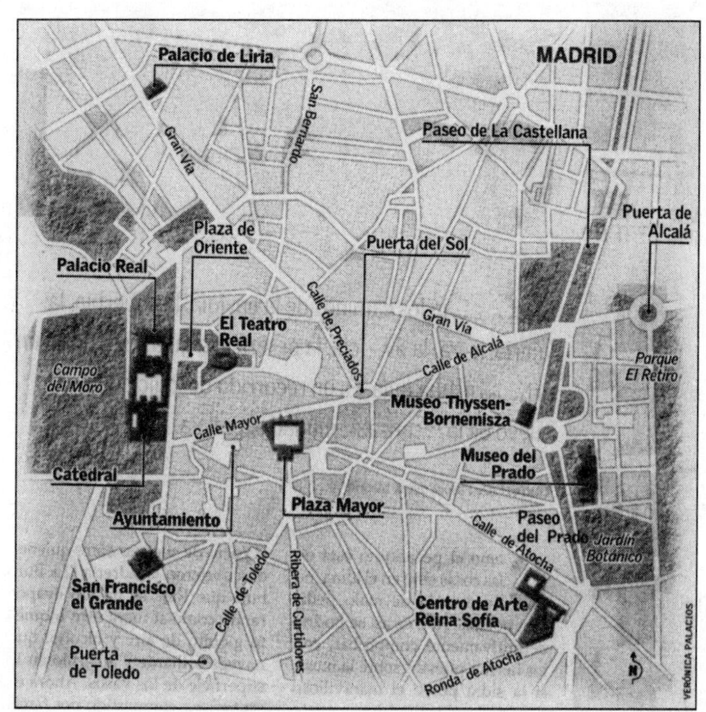

Answers will vary, but students should use the following verb forms:

1. **¿Ya estuviste tú en...?**
2. **¿Ya estuvo Carlos en...?**
3. **¿Ya estuvimos nosotros en...?**
4. **¿Ya estuvieron Víctor y Nuria en...?**
5. **¿Ya estuvo Paloma en...?**
6. **¿Ya estuvieron Uds. en...?**
7. **¿Ya estuvo Sofía en...?**

Nombre: ______________________________ Fecha: ____________________

13 Una conversación en el mercado

Create a dialog between the two friends in the illustration, who are at a market buying ingredients for a paella. Have them compare quality between produce and talk about what are the most important ingredients in a paella.

Answers will vary.

Nombre: ______________________ Fecha: ______________

Capítulo 9

Lección A

1 Crucigrama

Complete the following crossword puzzle.

	1 B	L	U	S	2 A	S			
					N				
3 P	I	J	A	M	A				
I					R		4 H		5 T
E		6 M	O	R	A	D	O		A
					N		M		C
	7 B				J		B		Ó
	A			8 M	A	R	R	Ó	N
	Ñ				D		E		
9 R	O	S	A	D	O		S		

Horizontal

1. Las camisas son para hombres y las _____ son para mujeres.
3. Para dormir, necesito un _____.
6. Rojo y azul hacen _____.
8. El chocolate es de color _____.
9. Rojo y blanco hacen _____.

Vertical

2. La zanahoria es de color _____.
3. Pongo el _____ en el zapato.
4. Compro una corbata en el departamento de ropa para _____.
5. La señorita tiene zapatos de _____.
7. Para ir a la playa, necesito un traje de _____.

Nombre: ________________________________ Fecha: ________________

2 Las partes del cuerpo

Look at the drawing and identify the parts of the body.

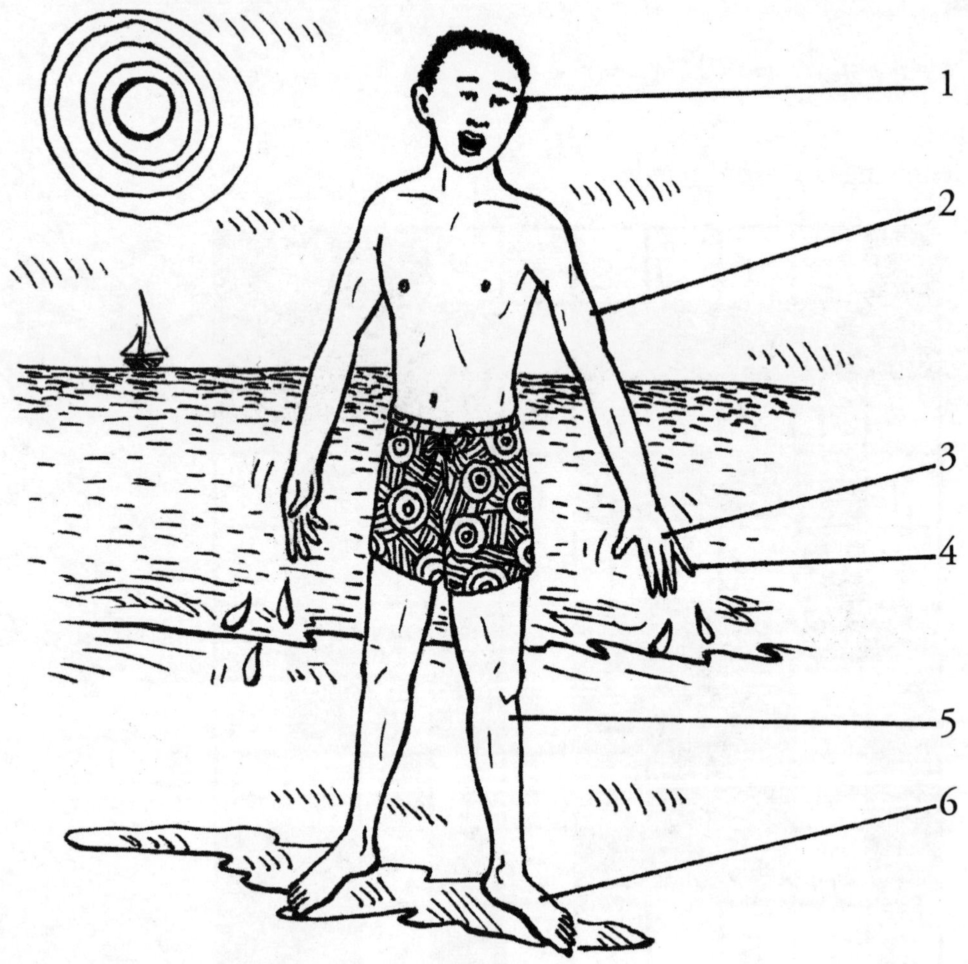

1. la cabeza
2. el brazo
3. la mano
4. el dedo
5. la pierna
6. el pie

3 Categorías

Circle the word in each row that does not belong in the group.

1. camisa	traje	(vestido)	corbata
2. verde	(algodón)	morado	marrón
3. zapato bajo	bota	zapato de tacón	(abrigo)
4. (blusa)	mano	pierna	cabeza
5. medias	(corbata)	blusa	vestido
6. traje de baño	ropa interior	pijama	(bota)

4 Panamá.com

The following Web page about Panama has some words missing. Complete it with the words from the list.

Atlántico canal Central China chocós kunas panameños San Blas

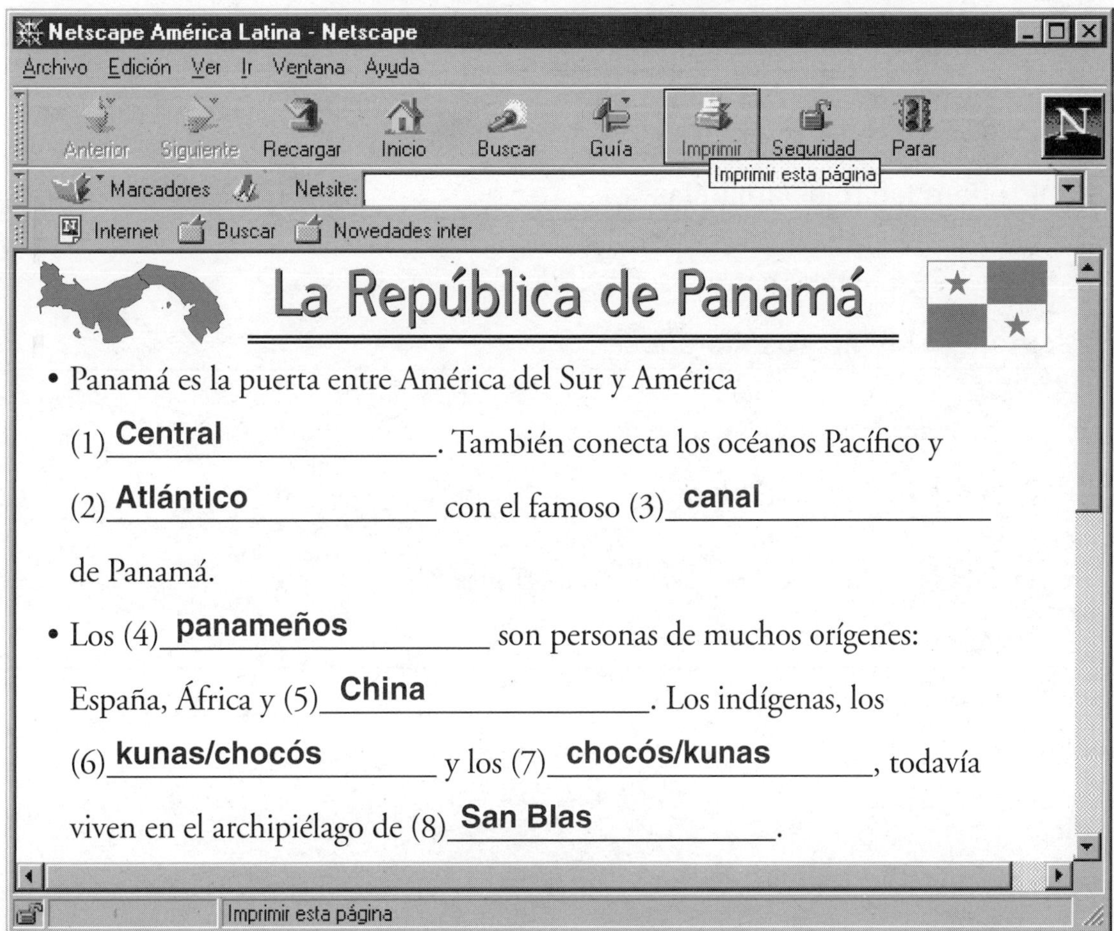

La República de Panamá

- Panamá es la puerta entre América del Sur y América (1) **Central**. También conecta los océanos Pacífico y (2) **Atlántico** con el famoso (3) **canal** de Panamá.
- Los (4) **panameños** son personas de muchos orígenes: España, África y (5) **China**. Los indígenas, los (6) **kunas/chocós** y los (7) **chocós/kunas**, todavía viven en el archipiélago de (8) **San Blas**.

Nombre: ______________________ Fecha: ______________

5 ¿Qué prefieres?

Complete the following survey about your preferences in clothes and colors. Answer each question, omitting the noun. Follow the model.

MODELO ¿Prefieres las botas negras o las botas marrones?
Prefiero las negras/las marrones.

1. ¿Prefieres los pijamas blancos o los pijamas rojos?

   Prefiero los blancos/rojos.

2. ¿Prefieres las camisas rosadas o las camisas azules?

   Prefiero las rosadas/azules.

3. ¿Prefieres los trajes de baño rojos o los trajes de baño negros?

   Prefiero los rojos/negros.

4. ¿Prefieres la ropa interior blanca o la ropa interior anaranjada?

   Prefiero la blanca/anaranjada.

5. ¿Prefieres las corbatas rojas o las corbatas amarillas?

   Prefiero las rojas/amarillas.

6. ¿Prefieres los vestidos negros o los vestidos morados?

   Prefiero los negros/morados.

7. ¿Prefieres los trajes azules o los trajes grises?

   Prefiero los azules/grises.

8. ¿Prefieres las blusas verdes o las blusas marrones?

   Prefiero las verdes/marrones.

6 En el departamento de ropa

Complete each sentence with the preterite tense of the verb in parentheses.

1. Álvaro **pidió** dinero a sus padres. (pedir)
2. Los muchachos **corrieron** a la sección de zapatos. (correr)
3. Las muchachas **subieron** al segundo piso. (subir)
4. Nosotros **vimos** mucha ropa bonita. (ver)
5. Josefina **escogió** una blusa rosada de seda. (escoger)
6. Yo **preferí** la camisa blanca de algodón. (preferir)
7. El señor Quiroga **vendió** muchas botas. (vender)
8. Tú **saliste** con un traje de baño, ¿verdad? (salir)

7 Otra vez

Rewrite the following sentences, replacing the words in italics with the words in parentheses. Make any necessary changes.

MODELO *Guillermo* durmió toda la tarde. (los muchachos)
Los muchachos durmieron toda la tarde.

1. *Mabel y yo* comimos en la cafetería. (tú)

   Tú comiste en la cafetería.

2. *Yo* pedí la sopa de pescado. (Mabel)

   Mabel pidió la sopa de pescado.

3. Después, *nosotros* corrimos por el parque. (yo)

   Después, yo corrí por el parque.

4. *Ella* prefirió montar en bicicleta. (Uds.)

   Uds. prefirieron montar en bicicleta.

5. *Mis padres* nos permitieron ir a España. (Mamá)

Mamá nos permitió ir a España.

6. *Yo* aprendí a preparar paella. (nosotros)

Nosotros aprendimos a preparar paella.

8 ¿Quién fue?

Imagine you work at a store and the boss has just returned from a trip. Answer her questions, using the cues in parentheses.

MODELO ¿Quién me escribió la carta? (nosotros)
Nosotros la escribimos.

1. ¿Quién abrió la tienda? (Lorenzo)

Lorenzo la abrió.

2. ¿Quién encendió las luces? (Magdalena)

Magdalena las encendió.

3. ¿Quién pidió más camisas azules? (yo)

Yo pedí más camisas azules.

4. ¿Quién salió de vacaciones? (Pablo)

Pablo salió de vacaciones.

5. ¿Quién prefirió trabajar los sábados? (Iván y Tere)

Iván y Tere prefirieron trabajar los sábados.

6. ¿Quién recogió la ropa? (nosotros)

Nosotros la recogimos.

Nombre: ______________________ Fecha: ______________

9 Comprar por catálogo

The following people ordered clothes through a catalog. Write complete sentences, saying what everyone ordered.

MODELO

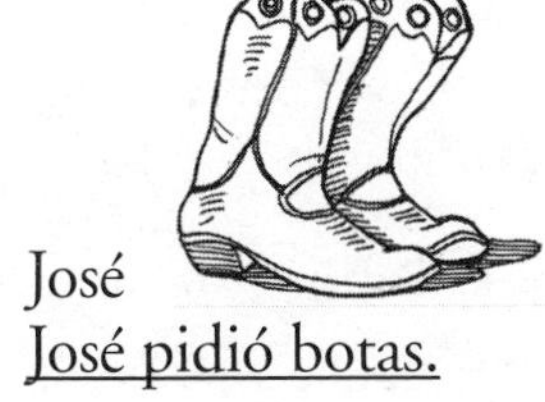

José

José pidió botas.

1. Olga

Olga pidió un abrigo (de lana).

2. la Sra. Costas

La Sra. Costas pidió un sombrero.

3. yo

Yo pedí un suéter (de lana).

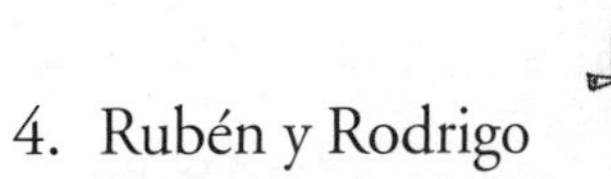

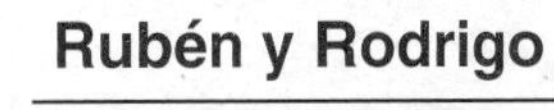

4. Rubén y Rodrigo

Rubén y Rodrigo pidieron guantes.

5. tú

Tú pediste una chaqueta.

6. el Sr. Márquez

El Sr. Márquez pidió un impermeable.

Nombre: ______________________ Fecha: ____________

10 ¿Adónde fueron y qué hicieron allí?

Combine elements from each column to write seven complete sentences, saying where everyone went and what they did there. Follow the model.

MODELO Germán fue a la biblioteca y sacó un libro.

Germán	la biblioteca	dar un paseo
nosotros	el cine	comprar ropa
yo	el parque	comer paella
Pamela	la piscina	sacar un libro
los muchachos	el mercado	mirar una película
tú	la tienda	bailar
Toño y David	la fiesta	comprar frutas
Sonia	el restaurante	nadar

Possible answers:

1. **Nosotros fuimos al cine y miramos una película.**
2. **Yo fui al parque y di un paseo.**
3. **Pamela fue a la piscina y nadó.**
4. **Los muchachos fueron al mercado y compraron frutas.**
5. **Tú fuiste a la tienda y compraste ropa.**
6. **Toño y David fueron a la fiesta y bailaron.**
7. **Sonia fue al restaurante y comió paella.**

11 La mejor fiesta

Complete the following paragraph with the preterite tense of the verbs *ser* and *ir*.

La fiesta del Club de Español (1) **fue** en la casa de la profesora Camacho. Más de cuarenta estudiantes (2) **fueron** a la fiesta. Yo (3) **fui** la primera persona en llegar. Todos comieron y bailaron mucho. A la medionoche, nosotros (4) **fuimos** a buscar más comida. ¡(5) **Fue** la mejor fiesta del año!

Nombre: ______________________ Fecha: ______________

12 ¿Quieres ir?

Complete the following telephone conversation, using the words from the list.

algo alguien alguna nada nadie ni ninguna tampoco

EDGAR: Hola, Luisa. ¿Vas a hacer (1) **algo** esta tarde o esta noche?

LUISA: No, no voy a hacer (2) **nada** ni esta tarde (3) **ni** esta noche. ¿Por qué?

EDGAR: ¿Quieres ir de compras? Es el cumpleaños de Marta.

LUISA: ¿Es el cumpleaños de Marta? (4) **Nadie** me lo dijo.

EDGAR: A mí me lo dijo (5) **alguien** en la clase de español. ¿Quieres ir?

LUISA: Sí, pero no tengo (6) **ninguna** idea de qué comprarle. ¿Tienes tú (7) **alguna** idea?

EDGAR: No, yo (8) **tampoco** sé qué comprar.

13 Lo contrario

Rewrite the following sentences to make them negative. Follow the model.

Busco a alguien. / No busco a nadie.

1. Tú siempre llevas guantes.
   Tú nunca llevas guantes.
2. Alguien debe hacerlo.
   Nadie debe hacerlo./No debe hacerlo nadie.
3. Quiero comprar algo.
   No quiero comprar nada.
4. Pedro también lo pidió.
   Pedro tampoco lo pidió.
5. Fue o Ana o Rosa.
   No fue ni Ana ni Rosa.
6. Algunos niños lo saben.
   Ningún niño lo sabe.
7. ¿Buscan alguna receta?
   ¿No buscan ninguna receta?

14 De compras

Think about the last time you went shopping for clothes or shoes. Write a paragraph about it. Use the following questions as a guide.

- ¿Cuándo fuiste de compras? ¿Con quién fuiste?
- ¿Adónde fuiste? ¿Vas siempre allí?
- ¿Qué te gustó? ¿Qué no te gustó?
- ¿Compraste algo? ¿De qué color es? ¿Cómo te queda?

Answers will vary.

Nombre: ______________________ Fecha: ______________

Lección B

1 Identifica

Look at the following drawing and identify the items that are labeled.

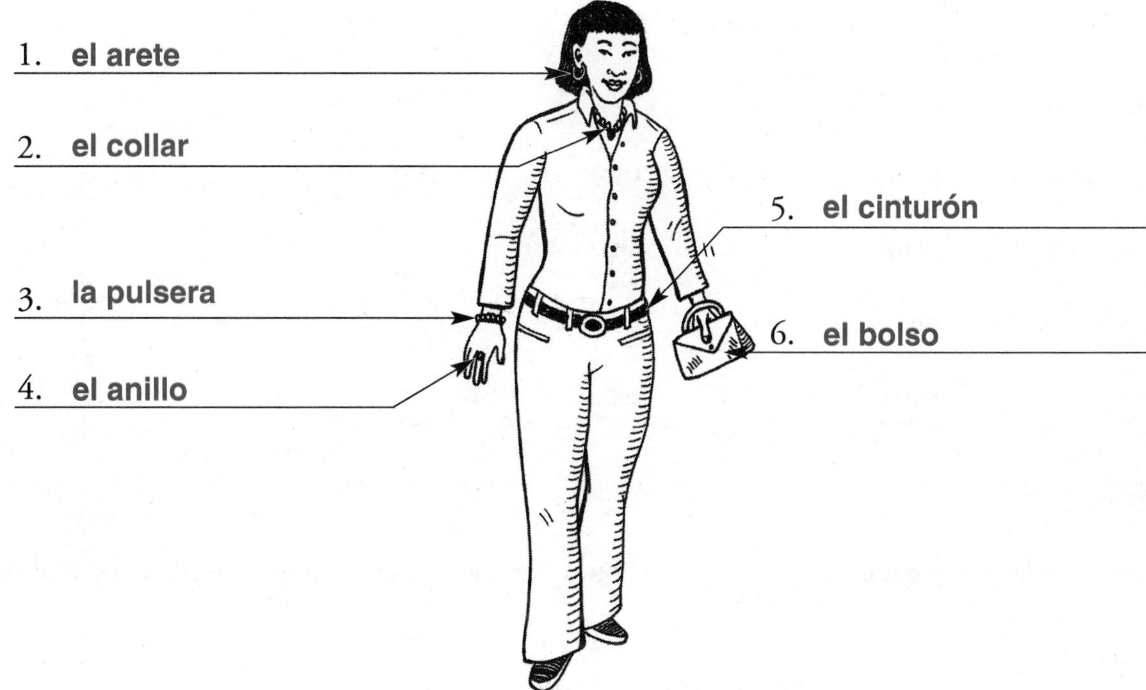

2 Completa

Complete the following sentences, using words from the list.

ascensor billetera cuero joyas larga paraguas perlas regalos

1. Lleva un paraguas porque va a llover.
2. Recibí muchos regalos el día de mi cumpleaños.
3. Subo al décimo piso en un ascensor.
4. La bufanda no es corta; es larga.
5. Collares, pulseras y aretes son joyas.
6. El cinturón de Arturo es de cuero.
7. Tengo veinte dólares en mi billetera.
8. Compramos un collar de perlas.

Nombre: ______________________________ Fecha: ______________

3 Materiales

Of what materials can the following items be made? Circle the two most likely materials in each row.

MODELO chaqueta:	(cuero)	(lana)	plata
1. cinturón:	(material sintético)	perlas	(cuero)
2. arete:	(oro)	(plata)	algodón
3. pañuelo:	(seda)	oro	(algodón)
4. blusa:	plata	(algodón)	(seda)
5. bolso:	oro	(cuero)	(material sintético)
6. collar:	(perlas)	seda	(oro)

4 Ecuador

Decide whether the following statements about Ecuador are *cierto* o *falso*. Write **C** or **F** in the space provided.

__C__ 1. Ecuador está cerca del océano Pacífico.

__C__ 2. El ecuador pasa por Ecuador.

__F__ 3. La capital de Ecuador es Guayaquil.

__F__ 4. Quito está lejos de los Andes.

__C__ 5. Las Islas Galápagos es un parque nacional en el océano Pacífico.

__F__ 6. Ecuador era parte *(was part)* del imperio maya.

__C__ 7. Ecuador declaró su independencia de España en 1809.

5 Diminutivos

Complete the following conversation with the diminutive forms of the words in parentheses.

Possible answers:

PAPÁ: Hola, (1) hijita. (hija)

SILVIA: Hola. ¿Quieres un (2) cafecito? (café)

PAPÁ: Sí, un (3) poquito. (poco)

SILVIA: Aquí tienes: café y un (4) pancito. (pan)

PAPÁ: Gracias, (5) Silvita. (Silvia)

6 Lo siento

Alicia wrote a letter of apology to Rodrigo. Complete it with the preterite forms of the verb *tener.*

Querido Rodrigo,

Siento mucho que mi familia y yo no fuimos a tu fiesta.

Mis padres (1) tuvieron *que trabajar. Paola* (2) tuvo *que estudiar para un examen y yo* (3) tuve *que ir al dentista. Luego esa noche, Paola y yo* (4) tuvimos *que cocinarle a mi abuelita. Sé que* (5) tuviste *una buena fiesta, Rodrigo. Te prometo ir a la próxima.*

Tu amiga,

Alicia

Nombre: ______________________ Fecha: ______________

7 ¿Qué vieron?

Look at the following schedule for the TV station Telemadrid. Write complete sentences, using the preterite of the verb *ver* to say what the following people watched at the given times.

MODELO Rubén / 14:00
Rubén vio Telenoticias.

1. Nora / 9:45

   Nora vio En acción.

2. tú / 12:10

   Tú viste El príncipe de Bel-Air.

3. Hugo y Marco / 19:30

   Hugo y Marco vieron Fútbol es fútbol.

4. nosotros / 3:20

   Nosotros vimos Starsky y Hutch.

5. Gloria / 14:00

   Gloria vio Telenoticias.

6. yo / 10:30

   Yo vi Cyberclub.

TELEMADRID

7.45 Documental: carreras asombrosas.
8.15 Los hombres de Harrelson.
9.00 Telenoticias sin fronteras.
9.45 En acción.
10.30 Cyberclub.
11.20 Shin Chan.
12.10 El príncipe de Bel-Air.
13.00 En pleno Madrid. Espacio de debate. «Presupuestos 2003: en qué se gastará nuestro dinero el Gobierno».
14.00 Telenoticias.
15.30 Cine de tarde. «Street Fighter: la última batalla». EE.UU. 1994. 108 min. Dir: Steven E. de Souza. Int: Raul Julia, Jean Claude Van Damme y Damian Chapa. Un hombre, Bison, quiere conquistar el mundo. Para ello, contrata a una serie de poderosos luchadores para que, por medio de la extorsión, llegar a lo que se propone.
17.35 Cine: una comedia. «Bitelchús». EE.UU. 1988. 92 min. Dir: Tim Burton. Int: Alec Baldwin, Geena Davis y Michael Keaton.
19.30 Fútbol es fútbol.
21.35 Cine: el megahit. «Dogma». EE.UU. 1999. 133 min. Dir: Kevin Smith. Int: Ben Affleck, Matt Damon y Linda Fiorentino. Dos ángeles caídos intentan retornar al cielo. Pero si logran su objetivo eliminarán a toda la raza humana.
0.10 Cine.es. «El día de la bestia». España. 1995. 103 min. Dir: Álex de la Iglesia. Int: Santiago Segura, Álex Angulo y Armando de Razza. Después de 25 años de estudiar el Apocalipsis de San Juan, el cura ángel Berriatua tiene la certeza de que el Anticristo nacerá el 25 de diciembre de 1995.
2.00 Cine: la noche de terror. «La Galaxia del terror». EE.UU. 1981. 78 min. Dir: B.D. Clark. Int: Ray Walston, Grace Zabriskie y Edward Albert, Jr.
3.20 Starsky y Hutch. «Los rehenes».
4.05 Pasados de vuelta.
4.30 Programación de laOtra.
6.30 Información Cultural CAM.

8 ¿Qué hicieron?

What did Sergio's friends do to throw him a surprise birthday party? Write complete sentences, using the cues and the preterite forms of the verb *hacer.*

MODELO Beatriz / una lista
Beatriz hizo una lista.

1. Manolo / una paella

   Manolo hizo una paella.

2. yo / el postre

   Yo hice el postre.

3. Carolina y Marta / un jugo

   Carolina y Marta hicieron un jugo.

4. tú / una lista de juegos

   Tú hiciste una lista de juegos.

5. Norma / los adornos

   Norma hizo los adornos.

6. Luis / un dibujo cómico de Sergio

   Luis hizo un dibujo cómico de Sergio.

7. nosotros / muchas cosas

   Nosotros hicimos muchas cosas.

8. José y David / nada

   José y David no hicieron nada.

Nombre: ______________________ Fecha: ______________

9 ¿Qué sección dijeron que leyeron?

Summarize what section of the newspaper everyone said they read this morning. Look at the newspaper guide and choose a different section for each person. Use the preterite forms of the verbs *decir* and *leer*. Follow the model.

MODELO Rocío
Rocío dijo que leyó la sección de deportes.

ÍNDICE

EDITORIALES	11	CULTURA/ESPEC	52
OPINIÓN	12	CARTELERA	60
CARTAS	14	ESQUELAS	63
NACIONAL	16	CLASIFICADOS	66
INTERNACIONAL	32	ECONOMÍA	67
AGENDA	43	DEPORTES	72
LOTERÍA	43	GENTE	80
SORTEOS	43	PASATIEMPOS	82
TIEMPO	44	HORÓSCOPO	82
SOCIEDAD	46	TV/RADIO	83

Answers will vary but should include the following verb forms:

1. Rebeca y María
   Rebeca y María dijeron que leyeron....
2. yo
   Yo dije que leí....
3. Carlos
   Carlos dijo que leyó....
4. Uds.
   Uds. dijeron que leyeron....
5. Sarita
   Sarita dijo que leyó....
6. nosotros
   Nosotros dijimos que leímos....
7. tú
   Tú dijiste que leíste....

10 Correo electrónico

Complete Alejandra's e-mail with the preterite forms of the words from the list. One word is used more than once.

abrir	comprar	decir	empezar	ir
leer	oír	subir	ver	

Normal MIME QP Enviar

Para: Vincente
De: Alejandra
Asunto:
Cc:

Hola Vicente;

¿Quieres oír algo cómico? Ayer mi madre y yo (1) **fuimos** de compras. Ella (2) **leyó** en el periódico y también (3) **oyó** en la radio que iba a *(was going to)* llover y (4) **dijo** que quería comprarme un paraguas nuevo. En la tienda, nosotros (5) **subimos** al tercer piso, y allí, mi madre (6) **vio** el paraguas más grande del mundo. Ella lo (7) **compró**. Al regresar a casa, (8) **empezó** a llover. Yo (9) **abrí** el paraguas pero hizo tanto viento que se lo llevó. Esta mañana, yo (10) **oí** decir que unos muchachos vieron un paraguas grande en el patio de su casa. ¿Qué te parece?

Hablamos más tarde,

Alejandra

Nombre: ______________________________ Fecha: ______________

11 Preguntas y respuestas

Match the questions on the left with the most appropriate response on the right. Write the letter of your choice in the space provided.

F	1. ¿Dónde pago?	A. No, porque pagué con tarjeta de crédito.
C	2. ¿Cómo va a pagar?	B. Para cambiar algo.
B	3. ¿Para qué necesito el recibo?	C. En efectivo.
E	4. ¿Te gusta el bolso?	D. Está en oferta. Cuesta veinte dólares.
H	5. ¿Quién me puede ayudar?	E. Sí, es de buena calidad.
D	6. ¿Cuánto cuesta el cinturón?	F. En la caja.
A	7. ¿Te dieron cambio?	G. Está muy caro.
G	8. ¿Por qué no lo compras?	H. El dependiente.

12 De compras

Unscramble the following dialog between a shopper and a clerk. Number the sentences in a logical order. The first one has been done for you.

8 ¿Cómo va a pagar?

1 Buenas tardes. Busco un regalo para mi madre.

2 ¿Qué tal este perfume?

6 Este bolso está en oferta especial. Sólo cuesta veinticinco dólares.

10 Aquí tiene cinco dólares de cambio y su recibo.

3 ¿Cuánto cuesta?

5 Está muy caro. ¿No tiene algo más barato?

7 Es bonito y de buena calidad. Bueno, lo compro.

4 Cuarenta dólares.

11 Muchas gracias.

9 En efectivo.

Nombre: ______________________ Fecha: ______________

13 ¿Con quién?

Belinda wants to know with whom everyone went shopping. Answer her questions affirmatively, using the appropriate pronouns.

MODELO ¿Con quién fue Silvia? ¿Con Elena?
Sí, fue con ella.

1. ¿Con quién fue Lucas? ¿Con Nicolás?

   Sí, fue con él.

2. ¿Con quién fueron tus hermanos? ¿Contigo?

   Sí, fueron conmigo.

3. ¿Con quién fue Sofía? ¿Con su madre?

   Sí, fue con ella.

4. ¿Con quién fue David? ¿Con Olga y Cristina?

   Sí, fue con ellas.

5. ¿Con quién fueron Fernando y Anabel? ¿Conmigo?

   Sí, fue contigo.

6. ¿Con quién fuiste tú? ¿Con Miguel y Pedro?

   Sí, fui con ellos.

7. ¿Con quién fue Mónica? ¿Con Anabel y conmigo?

   Sí, fue con Uds.

8. ¿Con quién fueron tus amigos? ¿Con Miguel y contigo?

   Sí, fueron con nosotros.

Nombre: ______________________ Fecha: ______________

14 En el Mall del Sol

Imagine you are shopping in Mall del Sol, in Guayaquil, Ecuador. Create a dialog between you and the clerk, using the cues provided.

DEPENDIENTE *(greets you)*: **Answers will vary.**

____

TÚ *(greet back and say you are looking for a gift)*:

____

DEPENDIENTE *(suggests a gift appropriate for a woman)*:

____

TÚ *(say it is a gift for a man)*:

____

DEPENDIENTE *(suggests something else)*:

____

TÚ *(ask how much it is)*:

____

DEPENDIENTE *(says a price)*:

____

TÚ *(say it is too expensive)*:

____

DEPENDIENTE *(suggests something on sale)*:

____

TÚ *(say you will buy it)*:

____

DEPENDIENTE *(asks how you are going to pay for it)*:

____

TÚ *(say you are going to use a credit card)*:

____

Capítulo 10

Lección A

1 Deportes y pasatiempos

Everyone did something fun this year. Look at the drawing and write what each person played or did. Follow the model.

MODELO

Sebastián

Sebastián jugó al básquetbol.

1.  Armando

Armando montó en patineta.

2.  nosotros

Nosotros jugamos al fútbol americano.

3.  Paula y Ana

Paula y Ana jugaron a las damas.

4.  yo

Yo jugué al voleibol.

5.  tú

Tú esquiaste.

6.  Gabriela

Gabriela hizo aeróbicos.

Nombre: ______________________ Fecha: ______________

2 Perú

Choose the correct completion for each statement about Peru.

1. Perú está cerca del océano... (A. Pacífico.) B. Atlántico.
2. Perú fue el centro del imperio... A. azteca. (B. inca.)
3. Los españoles fueron a Perú por... (A. el oro y la plata.) B. las perlas.
4. La capital de Perú es... A. Cuzco. (B. Lima.)
5. 30% de los peruanos viven en... A. Ecuador. (B. Lima.)
6. Una de las universidades más viejas del mundo es la Universidad de... (A. San Marcos.) B. Los Andes.

3 Un viaje al Perú

Complete the following paragraph with the preterite forms of the verbs from the list.

comprar dar enviar estar ir parecer recibir tomar

Querido Hugo,

Acabo de estar en Perú. (1) Estuve *allí diez días.* (2) Fui *a Lima, Cuzco y Machu Picchu. En Lima,* (3) di *un paseo por Playa Agua Dulce. En Cuzco, te* (4) compré *un suéter de lana de color rojo. De allí,* (5) tomé *un tren a Machu Picchu. ¡Machu Picchu me* (6) pareció *estupendo! Te* (7) envié *muchas fotos de ese lugar mágico. ¿Las* (8) recibiste?

Tu amiga,
Daniela

Nombre: ____________________ Fecha: ____________

4 Escuela de idiomas

Do you think that learning a new language is important? Look at the following ad for a language school and answer the questions.

1. ¿Cómo se llama la escuela?

   Se llama Academia Europea.

2. ¿Qué dice que es vital?

   Dice que es vital hablar otro idioma.

3. ¿Qué idiomas puedes aprender allí?

   Puedes aprender inglés, francés, alemán, italiano y español.

4. ¿En cuánto tiempo puedes aprender español?

   Puedes aprender español en cuatro meses.

5. ¿De cuántas horas son las clases de lunes a jueves?

   Las clases de lunes a jueves son de dos horas.

Nombre: ______________________ Fecha: ______________

5 ¿Qué tienen que hacer?

Everyone is busy this afternoon. Look at the drawings and write what everyone has to do. Follow the model.

MODELO  Clara

Clara tiene que ir al dentista.

1.  yo

Yo tengo que jugar al béisbol.

2.  Jorge

Jorge tiene que estudiar/hacer las tareas.

3.  Gloria

Gloria tiene que arreglar/limpiar su cuarto.

4.  nosotros

Nosotros tenemos que cocinar/preparar la comida.

5.  Pepe

Pepe tiene que hacer la maleta.

6.  Liliana

Liliana tiene que darle de comer al gato.

7.  Eva y Julio

Eva y Julio tienen que comprar/ir al supermercado.

8.  tú

Tú tienes que sacar la basura.

Nombre: ______________________ Fecha: ______________

6 Sopa de letras

Find and circle seven school subjects in the word square below. The words may read horizontally, vertically or diagonally.

M	H	T	G	M	H	Ó	A	L	B	S
A	E	I	B	I	R	I	R	Y	I	U
T	R	S	S	N	X	P	T	J	O	Z
E	Q	U	P	T	C	K	E	Z	L	Ó
M	U	Í	T	A	O	W	O	Á	O	P
Á	L	P	H	F	Ñ	R	D	R	G	A
T	I	É	R	T	Y	O	I	I	Í	M
I	Z	X	C	V	B	N	L	A	A	A
C	O	M	P	U	T	A	C	I	Ó	N
A	R	Q	F	Í	S	X	Á	O	N	B
S	T	R	I	N	G	L	É	S	É	I

7 Comparando clases

Complete the following comparisons with the school subjects of your choice.

MODELO Biología es la clase más divertida. **Answers will vary.**

1. ______________ es más interesante que ______________.
2. ______________ es más aburrida que ______________.
3. ______________ es menos fácil que ______________.
4. ______________ es tan difícil como ______________.
5. ______________ fue la mejor clase del año.
6. ______________ fue la peor clase del año.

Nombre: ______________________________ Fecha: ____________________

8 ¿Qué hicieron el jueves?

Many people went out on Thursday. Answer the questions about what they did, based on the information found in the following entertainment guide.

23/01 jueves

MÚSICA

Inconsciente Colectivo en concierto acústico, este jueves, en el Jazz Café, San Pedro, 10 p. m. Entrada: ¢1.500. **Teléfono: 253-8933.**

ARTES

Séptimo Salón Nacional de Artes Nueva Acrópolis. Pinturas, foto grafías y esculturas del grupo Nueva Acrópolis. Galería Nacional, Museo de los Niños. De *lunes* a *viernes*, de 9 a. m. a 4:30 p. m. *Sábados* y *domingos*, de 10 a. m. a 5 p. m. Entrada: gratuita. **Teléfono: 258-4929.**

CINE

Saving Grace (*El jardín de la Alegría*), película que forma parte del I Festival de Cine Británico que presentará la Sala Garbo, Paseo Colón. Funciones a las 3, 5, 7 y 9 p. m. Entrada: ¢1.500. **Teléfono: 222-1034.**

BOHEMIA

La Casa de la Urraca, Tibás, lo invita a disfrutar de la música cubana del grupo Chocolate, 10 p. m. Entrada ¢1.500. **Teléfono: 385-5994.**

1. Augustín escuchó un concierto acústico. ¿Adónde fue?

   Fue al Jazz Café.

2. Nosotros fuimos a la Sala Garbo. ¿Qué vimos?

   Vieron la película *El jardín de la Alegría.*

3. Mauricio y Cecilia fueron a La Casa de la Urraca. ¿Qué escucharon?

   Escucharon música cubana.

4. Yo vi arte del grupo Nueva Acrópolis. ¿Adónde fui?

   Fuiste al Museo de los Niños.

5. Clara fue al concierto de Inconsciente Colectivo. ¿Cuánto costó?

   Costó mil quinientos.

6. ¿A qué hora empezó el concierto del grupo Chocolate?

   Empezó a las diez de la noche.

Nombre: ______________________ Fecha: ______________

9 Todos aprendieron algo

What did everyone learn to do this past year? Combine elements from each column and use the preterite tense of the verb *aprender* to write ten complete sentences.

MODELO Flor aprendió a preparar paella.

Flor	tocar	al ajedrez
yo	montar	la cumbia
Carlota	jugar	a caballo
Juan y Pablo	leer	por Internet
tú	ahorrar	paella
mis primos	navegar	una motocicleta
nosotros	preparar	el piano
Gerardo	patinar	un aguacate maduro
Rita y Tere	arreglar	en español
Adolfo y yo	escoger	dinero
mi mejor amigo	bailar	sobre ruedas

Answers will vary. Sample answers:

1. **Yo aprendí a tocar el piano.**
2. **Carlota aprendió a montar a caballo.**
3. **Juan y Pablo aprendieron a jugar al ajedrez.**
4. **Tú aprendiste a leer en español.**
5. **Mis primos aprendieron a ahorrar dinero.**
6. **Nosotros aprendimos a navegar por Internet.**
7. **Gerardo aprendió a patinar sobre ruedas.**
8. **Rita y Tere aprendieron a arreglar una motocicleta.**
9. **Adolfo y yo aprendimos a escoger un aguacate maduro.**
10. **Mi mejor amigo aprendió a bailar la cumbia.**

Nombre: ______________________________ Fecha: ________________

10 Este año fue...

Think about this school year. Write one or two paragraphs about it. Describe the classes you took. Say some things you did with your friends. Mention one or two things you learned to do. Conclude by saying if it was a better or worse year than last year.

Answers will vary.

Nombre: ______________________________ Fecha: ______________

Lección B

1 De viaje

The following people are looking for travel buddies. Read the ads and then decide if the statements that follow are true *(cierto)* or false *(falso)*. Write **C** or **F** in the space provided.

Compañeros de ruta

Argentina

■ Busco compañeros de ruta para realizar paseos en bicicleta por Buenos Aires. Nos reunimos los sábados, a las 17, en 11 de Septiembre y Echeverría, en Belgrano. Escribir a: ***marceloalejandro32@hotmail.com***

■ Mi nombre es Pablo y estoy armando un viaje al norte argentino en moto. Busco compañera de ruta para compartir el viaje y la experiencia. Escribir a: ***pablopio20@hotmail.com***

■ Tengo 25 años, soy Federico y con un amigo estamos planeando un viaje de mochileros para el verano. El lugar elegido es Mendoza (Cañón del Atuel) y también Bariloche. Pensábamos sumar a alguien más. Escribir a: ***fricofontan@hotmail.com***

■ Mi nombre es Diego, soy rosarino y estoy armando un viaje por el Sur para el verano. Busco compañero de ruta de entre 18 y 25 años, tipo mochilero. Escribir a: ***diegoe25@hotmail.com***

■ Soy Pablo, tengo 24 años y busco compañeros de ruta para viajar a fines de este mes hacia los Valles Calchaquíes, en Salta. La idea es compartir una buena experiencia, hacerse amigos y ahorrar gastos. Escribir a: ***pabloiglesias1@hotmail.com***

Europa

■ Me llamo Daniel, tengo 56 años y busco compañía con buena onda para viajar a España, Portugal y Marruecos. Escribir a: **lbecontabilidad@arnet.com.ar**

■ Tengo 45 años y busco compañeros de ruta para viajar a al sur de España, para visitar Córdoba, Sevilla y Granada. Me llamo Alejandro. Escribir a: ***alejantulo@hotmail.com.ar***

__F__ 1. Los paseos en bicicleta por Buenos Aires son los domingos.

__C__ 2. Pablo va a ir al norte de Argentina en moto.

__F__ 3. Federico y un amigo quieren ir a España.

__C__ 4. Diego busca un compañero de ruta entre 18 y 25 años.

__C__ 5. A Pablo le gustaría compartir una buena experiencia con nuevos amigos.

__F__ 6. A Daniel le gustaría viajar al sur de Argentina.

__C__ 7. Alejandro piensa viajar al sur de España.

Nombre: ______________________ Fecha: ______________

2 Ahora tú

Now it is your turn to write an ad for a travel friend. Imagine you can travel to a Spanish-speaking country this summer. First, answer the following questions. Then, use the information in your answers and the outline below to write your ad.

1. ¿Adónde vas a viajar y cuándo?

____

2. ¿Qué medio de transporte piensas usar?

____

3. ¿Con quién te gustaría compartir esta experiencia?

____

Me llamo... Tengo ... años. Busco compañeros de ruta para viajar a... en... Vamos a salir el... y volver el... Me gustaría conocer personas que son... Escribir a...

Answers will vary.

3 Guatemala

Complete the following crossword with facts about Guatemala.

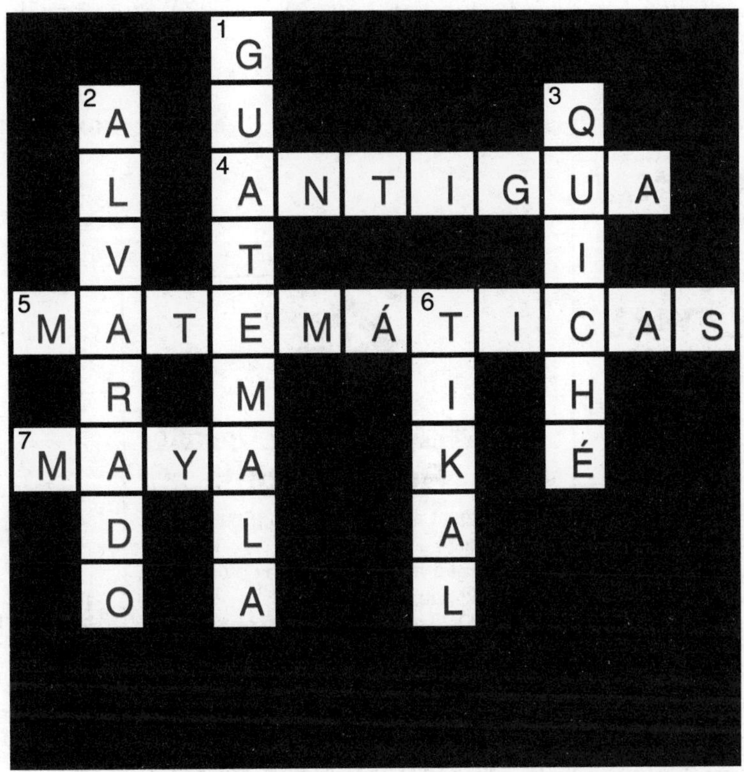

Horizontal

4. _____ es una ciudad colonial.
5. Los mayas estudiaron astronomía, arquitectura y _____.
7. La cultura _____ es visible en Guatemala.

Vertical

1. La capital de Guatemala es la Ciudad de _____.
2. Pedro de _____ conquistó Guatemala en 1524.
3. El _____ es el idioma maya más común en Guatemala.
6. En _____ hay ruinas de una gran ciudad maya.

Oportunidades

If you are bilingual in English and Spanish, you could work in a Spanish-speaking country. Here are some ads taken from newspapers in Latin America. Write the number of the ad next to the name of the profession in Spanish.

__1__ secretaria __3__ profesor de inglés __2__ agente de turismo

MULTINATIONAL COMPANY
Seeks
PRESIDENTIAL ASSISTANT

- Five-year experience in managerial or presidential secretary position in multinational companies.
- Bilingual Spanish-English
- Perfect knowledge of Windows & Office software
- Excellent planning an interpersonal skills as well as time management.

WE OFFER: Excellent compensation benefits according to law, professional development and good working environment.

If you fulfill the requirements, please send your C.V. with photo to EL TIEMPO post box No. 6739.

1.

Travel Agent / Tour Operator

Reservations

- Bilingual written & spoken (Spanish / English)
- Use of e-mail and Microsoft programs
- Good public relations skills
- Able to work from **Monday to Friday half a day**
- Salary: ¢85.000 monthly
- Experience in this position (at least a year)

Send your resume via fax: 225-6055

2.

International Company
Requires
English Teacher or Academic Advisors

Ages between 20-45, great appeareance, experience living in a foreign country and able to work inmediatly.

Transversal 18 No. 101-21

3.

Think of two other professions that would require bilingual skills: **Possible answers:**

diplomat and interpreter

5 ¿Qué profesión?

Read what the following people like to do. Then write what his or her profession should be. Follow the model.

MODELO BETO: Me gustaría enseñar español.
TÚ: Pienso que debes ser maestro.

arquitecto	artista	banquera	cocinero	dentista
programadora	maestro	médica	veterinaria	

1. ARTURO: Me gustaría diseñar casas.
   TÚ: Pienso que debes ser arquitecto.
2. MATILDE: Me gustaría programar computadoras.
   TÚ: Pienso que debes ser programadora.
3. FERNANDO: Me gustaría dibujar y pintar.
   TÚ: Pienso que debes ser artista.
4. LORENA: Me gustaría trabajar con animales.
   TÚ: Pienso que debes ser veterinaria.
5. YOLANDA: Me gustaría trabajar en una clínica.
   TÚ: Pienso que debes ser médica.
6. GERMÁN: Me gustaría cocinar para muchas personas.
   TÚ: Pienso que debes ser cocinero.
7. ROXANA: Me gustaría trabajar en un banco.
   TÚ: Pienso que debes ser banquera.
8. ROBERTO: Me gustaría arreglar dientes.
   TÚ: Pienso que debes ser dentista.

Nombre: ______________________ Fecha: ______________

6 Color y personalidad

Do you think colors define personality? Look at the following Web page and answer the questions that follow.

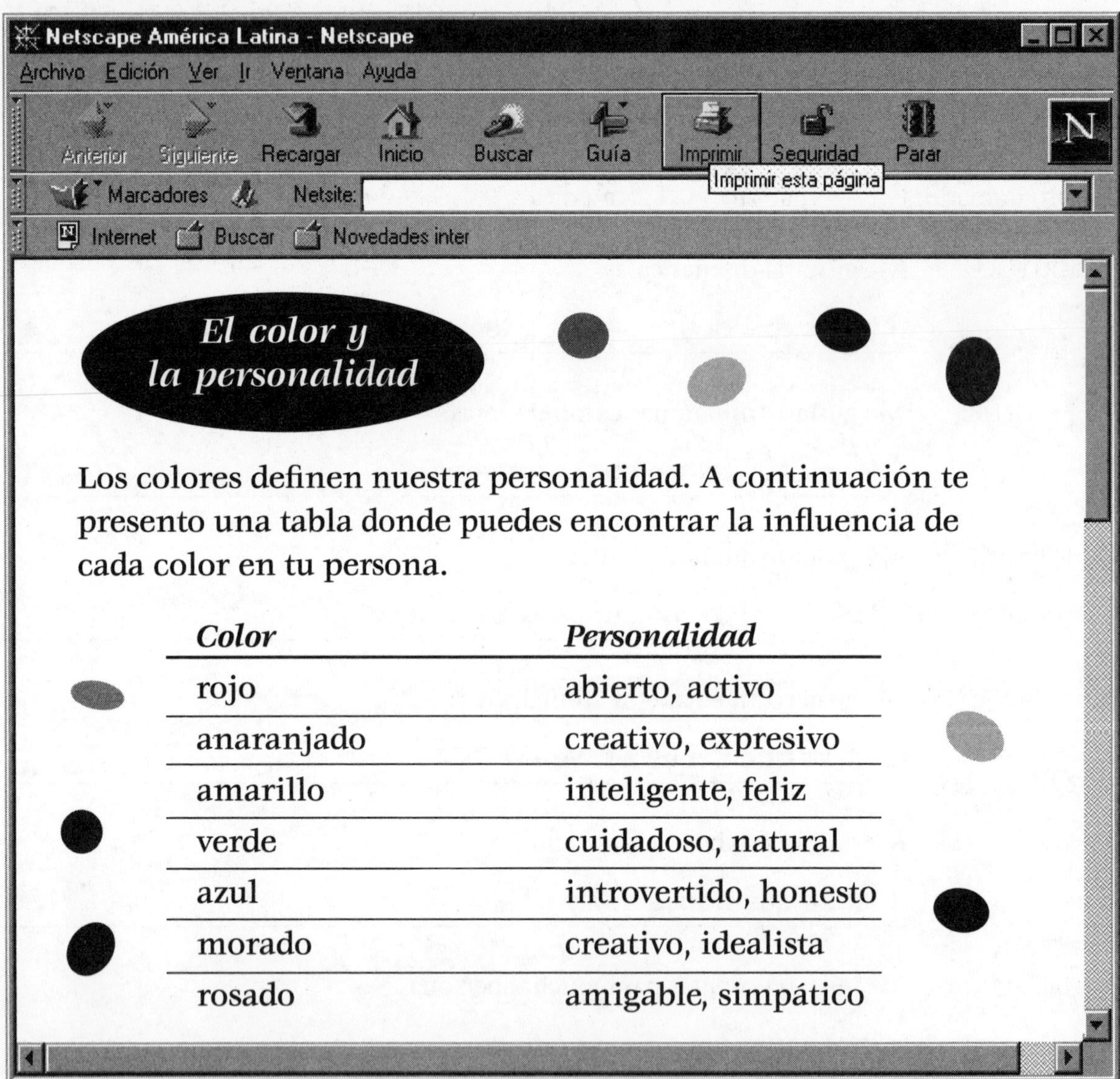

Color	*Personalidad*
rojo	abierto, activo
anaranjado	creativo, expresivo
amarillo	inteligente, feliz
verde	cuidadoso, natural
azul	introvertido, honesto
morado	creativo, idealista
rosado	amigable, simpático

1. Escoge tu color favorito de la página Web. ¿Cuál es? **Answers will vary.**

   ____

2. ¿Qué dice la página Web sobre cuál es tu personalidad?

   ____

3. ¿Es esa tu personalidad? Si no, ¿cómo eres?

   ____

Nombre: ______________________________ Fecha: ______________

7 ¿Cómo es?

Complete the following sentences, using words from the list.

ambiciosa	aventurero	creativo	generosa	guapa
honesto	organizado	popular	rico	

1. Franco es honesto. Siempre dice la verdad.
2. El Sr. Soles tiene mucho dinero en el banco. Él es rico.
3. Mi amiga no es fea; es guapa.
4. Consuelo es ambiciosa; quiere ser presidente de los Estados Unidos.
5. Javier es muy creativo. Le gusta pintar y escribir poemas.
6. A Ernesto le gusta viajar mucho; es muy aventurero.
7. Amalia es popular. Ella tiene muchos amigos.
8. Eugenia es generosa. Siempre comparte sus cosas.
9. Tomás siempre pone todo en su lugar; es muy organizado.

Nombre: ______________________________ Fecha: ____________________

8 Este verano

What are you doing this summer? Are you going to work? Are you going to travel? Write one or two paragraphs about your plans for this summer. Include what you have to do as well as things you would like to do. **Answers will vary.**